馬渕睦夫が語りかける腑に落ちる話

元駐ウクライナ兼モルドバ大使
馬渕睦夫
Mabuchi Mutsuo

ウクライナ戦争の欺瞞
戦後民主主義の正体

徳間書店

目次

第2章　民主主義とは名を変えた専制政治である

第3章　ウクライナ戦争の現状とDS・ネオコンの弱体化

第4章 200年にわたるDSとロシアの戦い

第5章　「戦後レジームからの脱却」を唱えた安倍元総理の遺志を継ぐ

第6章　近未来と日本の現実

第7章　日本人への提言

装丁／赤谷直宣（禅コーポレーション）
DTP／キャップス
校閲／麦秋アートセンター
編集担当／佐藤春生　浅川亨

まえがき

私は2023年2月から徳間書店のご支援を得て、新しいネット番組『馬渕睦夫チャネル』を開設し、その中で『大和心ひとりがたり』のタイトルの下で、視聴者の方々に私の思いを語り掛けています。

この度、これまでの放映分や、毎月の私の講演会『耕雨塾』での講演内容を核に、それらに私の年来の主張を付け加えて、〝馬渕睦夫が語りかける腑に落ちる話〟として徳間書店から刊行される運びとなりました。

なぜ、いわば緊急出版のような形で、皆様にお届けしたかったのか。そのわけは、本書を読み解いていただければ理解していただけると確信しています。

本書を手に取って下さった皆様が、私のメッセージを腑に落としていただき、行動に移してくださらないと、日本が消滅するかもしれないからです。

残念ながら、現在の岸田政権の政策を見ていると、国民の生命を守るという視点が全く欠如しており、また国家観がどこにも見出せません。この政権の下では、国民は家畜として日々を黙々と過ごす哀れな存在に陥ってしまいます。

それに甘んじることを肯《がえ》んじ得ない皆様方は、自らの信念に従って人間として生きる道を選択していただきたい。本書にかけた私の思いは、この一点に集約されます。

さあ、共に日本を守るために行動を開始しましょう。

いま始めないともう時間がありません。皆様方が大和心を発揮され、止むにやまれず立ち上がってくださる光景を心の中に描きつつ、本書のまえがきとします。

令和5年6月吉日

馬渕睦夫

第1章

陰謀論というレッテルの逆転

陰謀論という誇りを恐れる必要はない

皆さんはウクライナ戦争について、日本のメディアによる「ロシアは野蛮な侵略国、プーチン大統領は巨悪、それに比べウクライナはかわいそうな被害者、ゼレンスキー大統領は民主主義の守護者」といった連日の報道に辟易《へきえき》しておられるのではないですか。その素直な感情こそ世界の秘密に迫ることができる何よりもの武器なのです。

私たちは「保守という言葉に騙されてきた」と言えるのですね。既存のテレビ・新聞といったマスメディアには騙されなかった皆さんも、とりわけ〝保守〟と見なされていたネット言論人のウクライナ分析が的を射ていなかったわけがいま一つよくわからないと感じておられるのではないでしょうか。

それは彼らの分析が〝ビジネス〟だからです。

つまり、特定の情報源があり、それをベースに言論ビジネスをしている。そうである以上、情報源の意向への配慮やその筋道に沿う必要があります。

もちろん、独自の分析もあるかもしれませんが、情報源の〝方針〟と乖離《かいり》することはないのです。この点は私の40年にわたる外交官生活の経験から言えることなのですが、情報源に頼るビジネスは限界がどうしてもあるのです。私の読者の皆さんは、すでに公開情報で判断する術を身に着けておられるものと、嬉しく思っています。世界の出来事の99パーセントは公開情報で理解できるのです。いや、公開情報からでないと本質を理解できないと言ったほうが正確かもしれません。こう断言すると多くのビジネス保守の方々は仕事を失う破目に陥るかもしれませんね。冷たいようですが、それも身から出た錆《さび》と言いたくなります。

さて、ウクライナ戦争に戻れば、善悪二元論の図式に落とし込み、〝プーチン・ロシア＝悪、ゼレンスキー・ウクライナ＝善〟という枠の中で自身の論説を展開するということです。このアプローチは非難されないという意味で安全ではありますが、本質を無視する結果になっていますね。それでもよい、あるいは仕方がないと考えているのがビジネス保守の方々です。

もう耳に胼胝《たこ》ができるくらい、毎日彼らの言論を聞かされてきました。メディア、そして多くの保守系言論人が「プーチンは巨悪であり、ゼレンスキーは自由の闘士である」という図式での主張をもう1年以上続けてきているのは、皆さんもご承知でしょう。

しかし、そのような善悪二元論という図式では、いま世界で起こっている本当のことは見えない。

現実を自ら探求するのではなく、どこかから与えられた図式を優先しているのですから、当然と言えば当然です。

そして、「学者や専門家という人たちは、わざわざ〝難しい〟解説をしているように見える」と感じている方も多いのではないでしょうか。

自分の地位や名誉を守る必要があるので、将来予測に関しては断定を避ける傾向もあります。「こういう可能性もあるけど、こっちの可能性も否定できない」と。私の学生時代を思い起こしてみても、立派な大学の先生というのは、だいたい断定を避けていたものです。

大学教授になった学生時代の友人は口癖のように「大学教授というのはやさしいことを難しく言う人種なのだ」と言っていました。逆に言えば、真実はいたって〝シンプル〟ということです。

間違った〝ファクト〟を盾に、自分の図式に当てはまらない言説を〝陰謀論〟と批判し、議論をシャットアウトしてきた多くの識者たち。

歴史の大きな渦中にあって、国家や国際金融資本が生き残りをかけてしのぎを削っているときに資料的裏付けのある証拠などあるはずがありません。つまり、ウクライナ戦争においてもわれわれが見てすぐ判断できるような証拠など都合よく出てくるはずがない。出てきたとしても、それは10年かそれ以上先のことでしょう。

都合の悪い事実は〝フェイクニュース〟とし、〝ファクトチェック〟と称して真実を暴いているかのようなポーズをとっていますが、彼らのファクトなどでは真実はつかめないことは皆さんもおわかりでしょう。彼らの現状分析も予測も情報源に都合のいいフェイクなのですから。

ゆえに、いま本当は何が起きているのかを見抜くためには、大きな流れをつかんだうえで、ある程度大胆な仮説を立て、そこから原因を類推することが必要です。これは誰でもできることなのですが、結果から原因を突き詰めるというアプローチです。たとえば、当初広島サミットへのリモート参加を表明していたゼレンスキー大統領が急遽訪日した理由は何か。

戦時下に、しかも劣勢に立たされている国のトップが外遊などできるはずがないことは、常識で考えればわかることです。そのことから、ロシアとウクライナの戦争は

2023年5月21日、G7広島サミットにおいて首脳会談を行うジョー・バイデン大統領とウォロディミル・ゼレンスキー大統領。写真：ロイター/ アフロ

G7首脳とウクライナ大統領が討議。
写真：代表撮影 /AP/ アフロ

ほとんど決着がついていることが読み解けるわけです。

そのような仮説を立てることができれば、直接的な証拠はなくても、その仮説を補強する傍証は出てくる。それはすべて公開情報でわかることです。丹念に拾っていけばいいだけです。専門家を名乗るなら、それくらいはやってほしいものです。

著書、ＹｏｕＴｕｂｅでの発信、講演会で、皆さんに繰り返し伝えていますが、重要なのは与えられた〝情報〟を鵜《う》呑《の》みにするのではなく、自らに備わった感性と常識で考えること。これは誰にでもできることです。

私が『国難の正体』（総和社、新装版はビジネス社）を出してから10年以上過ぎますが、当初から保守系言論人による〝陰謀論〟という厳しい批判がありました。

しかし、２０１９年の新型コロナによるパンデミック、翌20年の米大統領選挙での大規模不正、22年のウクライナ戦争、米中間選挙を経て、いろいろな陰謀が露呈してしまったいま、陰謀論というレッテル貼りで相手の言論を封じ込めることができなくなってきました。

それこそ、「陰謀論だ！」と切り捨てている側が、「何か都合が悪いのか？」「後ろめたいのか？」「嘘をついているのか？」と思われるようになってきました。相手を封じる言葉が、自分の欺瞞《ぎまん》を暴露する言葉に変わってしまったということです。

皆さんの中には勇気を出して真実を伝えようとしても、「それは陰謀論だ！」との反撃にあって悔しい思いをされた方も少なくないと思います。それにどう対処すればよいのか。本書を最後まで読んでいただけるとアイデアが出て来ると確信しています。陰謀論と切り捨てる人々は実は議論に弱い人々です。正面から議論することを恐れている小心者です。

繰り返しますが、〝陰謀論〟とシャットアウトしたところで、彼らはいま起きている事象に説明がつけられない。だから冷静に聞き返せばよいのです。「何処が陰謀論なのですか。教えてください」と。彼らは反撃に弱いのです。実践してみてください。彼らも〝陰謀論〟で黙らせるつもりが、自分が黙らざるを得なくなってしまったことに気づくでしょう。

存在が晒されたディープ・ステート

さて、以上私の皆さんへの語りかけの基本スタンスをお話ししました。これからは、このスタンスを踏まえて皆さんなりに真実に迫っていただきたいと思います。結局最後は一人一人が自分の感性で物事の本質をつかむことが求められているからです。以下の記述は皆さんなりの判断の参考にしていただくために、あえて詳細になるのをいとわず書き下しました。

トランプ大統領の登場により、それまでは一部の間でしか取り上げることがなかった〝ディープ・ステート〟の存在が白日の下に晒《さら》されました。

まずは、ディープ・ステート（deep state／略称：ＤＳ）という概念について整理していきましょう。

〝影の政府〟とも訳されるＤＳとは、狭義にはウォール街やロンドン・シティに跋扈《ばっこ》する国際金融勢力およびそのネットワークを指しますが、広義においては政府を陰から操る勢力を指します。

たとえばロスチャイルドやロックフェラーのような巨大財閥が水面下で国際政治に影響を与えていることは、いまや常識でしょう。

彼らがこれまで批判されないのはメディアを支配していることもありますが、政治家のように表舞台に立たなかったからです。

また、ＤＳの国際面における実働部隊であり、米共和党・民主党をまたいだ超党派の外交エスタブリッシュメントが〝ネオコン（Neoconservatism／新保守主義）〟です。軍産複合体と癒着し、他国へ干渉して戦争を引き起こしてきました。軍産複合体は、朝鮮戦争末期に大統領に就任したドワイト・アイゼンハワー（１８９０～１９６９）が退任にあたり、アメリカ国民に警告を発したことによりその存在が知れ渡りました。

ヒト・モノ・カネの移動の自由を目指し、法と規制で行動の障害となる国家を破壊しようとする思想をグローバリズム、この思想を持つ人たちをグローバリストと称しますが、彼らもＤＳを構成する概念に含まれます。

そしてこれが最も重要なことですが、グローバリズムと共産主義は表裏一体の思想。現在世界を覆っているグローバリズムというのは、共産主義による世界統一を目指す人々の進歩するイデオロギーを指すのです。グローバリストも左翼リベラルも同じ穴の狢《むじな》ということです。

ネオコンや軍産複合体の存在を指摘しただけで「それは陰謀論だ！」と言う人はもはやいないと思いますが、それらをひっくるめた勢力をＤＳと定義するとわかりやす

2023年1月28日、米NH州共和党年次会合で「ホワイトハウスを取り戻し、アメリカを正す」と訴えたドナルド・トランプ前大統領。写真：AP/アフロ

いでしょう。

DSはアメリカやイギリスに限らず、世界各国に存在するもので、日本も例外ではありません。そんな政治の水面下で活動しているDSの存在を指摘し、戦いを公言したのが、米第45代大統領ドナルド・トランプ氏。

当時のトランプ政権の高官も在任中には繰り返し言及し、DSがトランプ大統領の計画の足を引っ張っていると主張し続けました。一方、メインストリーム・メディアを配下に置くDS側は、トランプ大統領のDS批判や不正選挙との指摘に対し〝陰謀論〟とのレッテルを貼り、その言動を封じ込めようとしてきました。

その後、ワクチンへの疑義《ぎぎ》、西側に対するロシアの主張や立場に言及する人間に対しても〝陰謀論者〟のレッテルを貼り、その言説の排除に力を注いできたのはご承知のとおりです。マスメディアが〝伝えない〟だけでなく、SNSで発信しただけで、アカウントが凍結されるという言論弾圧が公然と行われたのです。

ロシア政府と対照的な日本政府

ワクチンの正体やウクライナ戦争の実態が明らかになるにつれ、ネオコンやDSの力が弱まってきているように見えます。アメリカ国内や欧州諸国、中国で反DSへの動きも散見されるようになってきました。

現在、DSとの戦いの最前線に立っているのは、言うまでもなくロシアのプーチン大統領ですが、それと対照的なのがわが国の岸田首相です。

岸田政権誕生とともに、安倍外交が培ってきたリアリズムを放棄し、日本の国益を主張せずバイデン政権の指示のままに行動することを選択したと思われます。これまでの日本政府の反ロシアへの極端な発言は、ロシア解体をもくろむネオコン勢力の指

G7広島サミットで議長国会見を行う岸田文雄首相。
写真：代表撮影／ロイター／アフロ

示どおりの行動といったところでしょう。岸田総理のウクライナへの電撃訪問、日韓関係改善への積極的な動きは、メディアで〝反ロシアの旗幟《きし》鮮明《せんめい》に、対中国へ向け米台韓との結束を強めている日本〟と報道されています。

バイデン政権の言いなりゆえに、岸田総理の支持率は著しく高く、必要以上にその功績を讃えられています。

しかし、いま世界に起こりつつある反ＤＳという潮流からは完全に取り残されていると言っていいでしょう。

東欧カラー革命から続くロシアvsウクライナという対立図式の実態は、ロシアvsアメリカ（ネオコン）であることは、10年以上前から指摘してきました。

このままでは、日本はネオコンの都合のいい道具としてアジア版のウクライナ役を担わされるのではないかと、危惧せざるを得ません。彼らのやり口は常に同じパターンです。権威主義勢力への対決を唱えているネオコン、彼らのロシアの次の矛先である中国との対決において、最前線で対峙させせられるのは、わが国かもしれないのです。

この点は台湾有事論に隠れて注目されていませんが、わが国にとっては台湾有事よりはるかに恐ろしいシナリオです。日中戦争の再来は絶対に避けなければなりません。習近平にとっては1950年のアチソン国務長官演説以来、すでに中国のものである台湾に侵攻するメリットはないからです（詳細は184ページ）。

もし、習近平が毛沢東を超える指導者として歴史に名を残したいのならば、対日戦争に自前で勝つことです。わが国の無節操な軍備増強は中国に戦争の口実を与えかねないのです。国連の敵国条項は総会決議で死文化されているとはいえ、戦勝国は援用しようと思えばできるのです。国連が第2次世界大戦の『連合国』のことであることを、ゆめゆめ忘れてはなりません。

私たちひとりひとりが見抜き、気づくこと

なぜ安倍元総理は暗殺されねばならなかったのか。

このことに関しては第5章で詳しく触れますが、生前の安倍元総理はウクライナ戦

争が始まってのちも、これまで築き上げてきたプーチン大統領との緊密な関係を水面下で維持し、ロシアの立場にも配慮を示す言動をしていました。

また習近平主席に対しては、絶対に台湾侵攻に踏み切らないよう名指しで牽制していたこともまだ記憶に新しいでしょう。

保守系言論人はとかく対中国包囲網の形成の必要性を強調していますが、ロシアを敵に回しながら対中包囲網が完成するとでも思っているのでしょうか。

中共対策においてインドが重要であることは私も十分理解していますが、たとえインドをＱＵＡＤ（日米豪印４カ国）に組み込むことができたとしても、ロシアを敵に回したままでは不十分です。

ウクライナ戦争が起きたあと、インタビューで安倍元総理は中国とロシアについて次のように述べています。

〈中国もロシアも、戦後確立された秩序に対するチャレンジャーになりつつある。この数年、両国はインド太平洋地域や地中海で合同軍事演習を行っている。昨年は、中国とロシアの艦艇が日本列島を一周する演習もあった。その中で、中露の連携をできるだけ断ち切ろうと私は考えた。経済力という点では、中国の方が断然心配だ。現状では、ロシアは力を失い、中国のジュニアパートナーになる可能性が高い〉（『エコノミスト』２０２２年5月26日）

ロシアが中国のジュニアパートナーに甘んじるかどうかはさておき、パワーポリティクス（権力政治）を冷静に分析されていたことがわかります。

〝ＤＳとの戦い〟を公言しているトランプ大統領、世界統一を目指す欧米支配層を〝悪魔崇拝者〟と痛烈に批判するプーチン大統領、そして安倍元総理が唱えてきたのは〝戦後レジームからの脱却〟です。

安倍元総理が〝戦後レジームを脱却し、日本を取り戻す〟というスローガンで成し遂げようとした理想は、現実の世界ではグローバリズムとナショナリズムのバランスをとらざるをえませんでした。

つまり、グローバリズムの波から国を閉ざし、グローバリストと呼ばれる人たちを政治中枢から排除することが目的ではありません。いまの日本の立ち位置でそんなことは現実的ではなく、不可能だからです。

国益を51％守れれば、残り49％は妥協する、安倍元総理はそんな姿勢を貫きました。その姿勢が世界に存在感を示すことになったのです。

しかしその安倍元総理はもうおられません。そして残念ながら、岸田総理をはじめとした日本の政治家に、また政党政治にも期待をすることはできない。

ゆえに、私たちひとりひとりが安倍元総理の遺志を継ぎ、DSの陰謀を見抜き、日本の立ち位置に気づき、日本の生存のために実践することが必要なのです。

2023年1月より『馬渕睦夫チャネル』を立ち上げ、YouTubeでの発信を再開したのは私自身が〝腑に落ちたこと〟を皆さんと共有するためのささやかな実践です。

言葉による支配

グローバリスト、左翼リベラルたちは、大衆を〝言葉によって支配〟してきました。ファシスト、レイシスト、ポピュリスト、歴史修正主義者（リビジョニスト）、そして陰謀論などという〝レッテル〟がその典型です。これらを政敵に貼り付けることによって言論を封じ社会的に抹殺してきました。

たとえば、〝レイシスト〟。人種差別主義者として排除するためのレッテルです。グローバリズムを否定し、ナショナリズムや愛国主義を主張すると左翼リベラルから〝極右〟とみなされ〝ファシスト〟というレッテルを貼られます。

それは国際社会においても同様で、ナショナリズムが高まり結束が固い国を〝ファシズム〟〝専制国家〟と否定するわけです。

この言葉によって政敵を抹殺する手法は欧米社会の伝統と言っていいでしょう。本居宣長流に言えば〝漢意（からごころ）〟の手法です。

欧米社会では社会的に否定的なレッテルや汚名が貼られる現象をスティグマといいます。もともとは古代ギリシアで身分の低い者や犯罪者などを識別するために体に強制的に付けた印に由来しています。その後、人種、性別、性的指向、犯罪歴、身体的障害などがスティグマの対象となり、スティグマを貼られると激しい差別を受けることになるのです。

もとより、レイシストやファシストという言葉も、欧米から移入されたものにすぎません。そもそも言葉によって敵を葬り去るという習慣は日本にはなかった。

日本の伝統では社会的制裁を加えたとしてもせいぜい〝村八分〟です。残りの二分、火事や葬式の際には手助けをし、完全に社会的に抹殺しない。私たちの国は情け深い、寛容な社会だったのです。

ご承知のように、いまや日本もメディアや有識者の言葉の攻撃に蝕まれる社会になっています。執拗《しつよう》に相手を攻撃し、追い込む風潮もまた漢意に染まったゆえんです。真偽や根拠に関係なく言葉や情報を駆使し感情に訴えることにより政治的な目的や主張を宣伝する〝プロパガンダ〟。

誰も否定できない正論によって異論を封じる〝ポリティカル・コレクトネス〟。言葉による支配への対処はシンプルです。繰り返しになりますが、見抜けばいいのです。そもそも彼らの真意は〝透け透け〟です。言説をシャットアウトすることによって何を隠したかったのか、それにより人々をどこに誘導したいかも含めて常識で考えればわかるのです。

ポリコレで言論を封殺しようとする勢力は反論されることを想定していないので、実は論戦にはめっぽう弱い。ゆえに欺瞞を見抜かれたら退散せざるを得ないのです。

間違いだらけのウクライナ戦争分析

保守と呼ばれる多くの言論人たちのウクライナ戦争分析が間違っていたことはいまや明らかですが、彼らがどのようなことを言っていたのかを振り返ってみましょう。

①欧米の制裁によりロシア経済は崩壊する。ルーブルは暴落する。
②プーチン大統領は国内の支持を失い失脚する。クーデターが起きる。暗殺される。
③一枚岩の欧米に対しロシアは孤立する。
④ロシアはウクライナの善戦に大きな損害を受けている。

ウクライナ戦争開始後、米英欧日によるロシアへの大規模な経済制裁が行われたというニュースを目にした方は多いと思います。続いて、その制裁をいくつか振り返ってみたいと思います。

アメリカは2月24日、ロシア最大の銀行ズベルバンクを米金融機関が外国金融機関のためにコルレス口座またはペイヤブル・スルー口座を開設・維持することを禁止する、いわゆるＣＡＰＴＡリストの対象に指定。

また第2位のＶＴＢバンクを含む主要4行が米国内に所有する財産を凍結し、アメリカ人との取引を禁止するＳＤＮリスト（特別指定国民および資格停止者リスト）に指定しました。

さらにアメリカ人によるロシア主要国有企業13社の新規の債券・株式取引の禁止、プーチン大統領に近い人物とその家族、関連法人をＳＤＮに指定しました。

4日後の28日には、ロシア中央銀行、国民福祉基金およびロシア財務省とのすべての取引が禁止（ただしロシア中央銀行との特定のエネルギー関連の取引は22年6月24日まで認められた）。また、プーチン大統領や同氏に近い人物が海外での資金調達に利用していたとされる、政府系ファンドのロシア直接投資基金（ＲＤＩＦ）および同基金の運用会社とその子会社をＳＤＮに指定、と矢継ぎ早に制裁を行っています。

イギリスの制裁はさらに強烈で、2月24日に以下を発表しています。

①ロシアのすべての金融機関が英国内に保有する資産の凍結。

②ロシア企業による国内での譲渡可能証券や短期金融資産の発行阻止。ロシアによ

る国内市場でのソブリン債発行禁止。
③指定銀行によるイギリスを介した決済手続きや国内金融市場へのアクセスの禁止。
④銀行口座残高制限を含む、ロシアの資産家の国内銀行へのアクセスを遮断する規制の導入。
⑤電子機器、通信、航空などのセクターを含む、高性能かつ重要な技術装置や部品の輸出禁止措置など、ロシアに対する輸出規制の強化。
⑥クリミアに適用される金融制裁、貿易制裁措置を東部2州まで拡大。
さらにイギリスは3月9日に第2弾として以下を科しました。
①ロシア関係者が英国内に所有する航空機に対する英政府の差し押さえと、指定の個人や企業が保有する航空機の国内での登録を削除。
②ロシアとつながりのある者または指定された個人、企業が所有、運航、チャーターする航空機の英上空の飛行と着陸を禁止する既存の措置を犯罪とする新たな法律を制定。
③航空・宇宙関連の製品・技術のロシアへの輸出を禁止（保険や再保険など関連するサービスの提供も含む）。

欧州も米英両国に加わって3月12日からロシアの主要7行を「国際銀行間通信協会（ＳＷＩＦＴ）」から排除しました。

ＳＷＩＦＴとは約２００カ国・地域から1万超の金融機関などが参加し、決済額は1日平均5兆ドル。世界中の高額決済の約半分が行われ、事実上国際決済における標準システムとされるもので、保守系の経済評論家たちは「ＳＷＩＦＴから外されたら、ロシアは生き残れない」と主張していました。

この影響により3月3日、格付け会社のＳ＆Ｐグローバル・トレーディングはロシアの外貨建ての長期債務格付けを「ＢＢ＋」から信用リスクが極めて高いとされる「ＣＣＣ－（マイナス）」まで8段階も引き下げました。

同時に、ルーブル建ての格付けも投資適格級の下限である「ＢＢＢ－」から投機的等級の「ＣＣＣ－」まで引き下げられることになりました。

もっとも、欧米の格付け会社の基準が本当に正しいのか、あるいは公正なものなのかは大いに疑ってしかるべきでしょう。

２００8年9月に起きたリーマン・ショックの際に格付け会社は、リーマン・ブラザーズの信用格付けを破綻直前まで高く評価していましたが、実際にはサブプライム住宅ローン危機によって巨額の損失を抱えていました。

格付け会社の過大評価のために、金融市場に大きな混乱と不信感をもたらしたのです。格付け会社自体がＤＳの傘下に置かれ、宣伝をしている可能性も否定できません。

制裁した側が苦しんでいる現実

経済評論家たちは「経済制裁によりロシアがデフォルトする」と断言していました。しかし、依然としてデフォルトなどしていないことは周知の事実です。

なぜならロシア政府も制裁を見越して対抗策をとっていたからです。

たとえばルーブルを安定化させるために、石油価格の下落に対応して、石油関連企業に対する税率を引き上げたり、外貨準備を使ってルーブルを買い支えたりしています。加えて石油代金決済にルーブル建てを要求したことが大きいでしょう。

ロシアの石炭の輸出額が大幅に増加しているのも注目点です。ウクライナ侵攻前の22年1月と23年1月を比べるとおよそ2倍になったと報じられています。特に買い支えているのが新興国で、ロシア産化石燃料全体の取引額はエジプトが9・6倍、インドが8倍、ナイジェリアは5・2倍まで増えているのです。

さらにロシアの産業構造が、エネルギー資源に依存するものから、農業や製造業などの多様な産業に移行しつつあることも、エネルギー価格の変動に対する影響を小さくしています。

ロシアはエネルギー大国であり、食料が自給できるという強みを持っています。そのうえロシア国民は忍耐性が強い。ソ連時代の苦難を乗り越えてきた民族です。

欧米からの激しい制裁により、この戦いがロシアとウクライナではなく、ロシアと欧英米の衝突だということに多くのロシア国民が気づきました。ロシアの親欧米派の知識人たちでさえ、ロシア国内の結束に動いています。

ただし、ユダヤ系活動家たちはもともと反プーチン、反体制派でしたが、ウクライナ戦争に反対するデモなどを散発的に行っています。

日本のメディアは〝ロシア通〟の学者を登場させてロシアでのクーデターの可能性をしきりに煽《あお》り、なかには22年の6月末までにはクーデターが起きると断定していた識者さえいましたが、それがプロパガンダであったことが露呈してしまいました。

国内の支持を失い失脚するはずのプーチン大統領の支持率が80％前後を保っている

のに、バイデン大統領の支持率は史上最低を記録している、それが現実なのです。ロシア経済より深刻なのは日本経済も含めて、アメリカ経済、ＥＵ経済でしょう。エネルギー価格の高騰とそれに伴うインフレに苦しんでいる。制裁した側がより傷ついているのが現実です。

また〝一枚岩の欧米に対しロシアは孤立する〟という分析が間違っていたことは２０２２年11月14日の国連総会で明らかになりました。

国連総会でロシアに戦争賠償を求める決議案が賛成多数で可決されたことにより反プーチン一色のわが国のメディアは、まるで鬼の首でも取ったようなはしゃぎぶりでしたが、実のところは決議に賛成した94カ国に対し、反対が14カ国、棄権が73カ国だったのです。

つまり、決議に賛成しなかった票の合計は87カ国にもなり、94カ国の賛成票とほぼ拮抗しているのです。しかも、加盟国全体で１９３カ国なので、欠席等を加えると明確に賛成しなかった国が99カ国と半数を超えており、「ロシアは孤立している」との印象操作が完全に失敗していることがわかるのです。

23年５月19日から３日間にわたり行われ、21日にはウクライナのゼレンスキー大統

2022年11月14日、国連総会においてロシアに賠償を求める決議が採決された。
写真：ロイター/ アフロ

領も参加した主要7カ国首脳会議（G7広島サミット）では、表向きはロシアへの制裁強化を確認し、日本とアメリカなどは追加制裁まで発表しています。

しかし、対ロ貿易を減らしていたのはG7だけで、中国やインド、トルコ、旧ソ連圏の国々は対ロ貿易をむしろ増やしているのです。

国連のデータベースで2021年と22年の対ロ輸出額を比較すると、G7各国は平均で半減した一方、中印の対ロ輸出は15％も増加しています。

ウクライナを除く旧ソ連の13カ国のうち、データが入手可能な9カ国も平均でおよそ1・4倍。さらにウズベキスタンからの輸出は1・5倍、アルメニアは3倍に、キルギスも2・5倍に増加しているのです（『日本経済新聞』23年5月22日）。

そして電子部品や半導体など軍需品や基盤産業に使われる物資も第三国を通じてロシアに入っている。つまり、G7は第三国を迂回したロシアへのモノの流れを減少させることに失敗したことを認めたということです。

しかもそのG7でさえ、エネルギーや食糧をロシアに依存している欧州と英米日では、制裁には温度差があるのです。

ウクライナ軍の敗北を認めだした欧米

これまで、あたかもウクライナがロシアに対し勝利を収めているかのような報道を続けてきた欧米のメディアも、またウクライナ支援を声高に叫んできたNATO諸国も、このような欺瞞に嫌気がさしてきたことを窺《うかが》わせる報道や発言が見られるようになりました。各国高官たちのバラバラの発言を丁重につき合わせて読んでゆくと、いままでとはまったく違った世界の現実が見えてきます。

たとえば、トランプ政権で国防長官のアドバイザーを務めたダグラス・マクレガー氏は11月24日、「ウクライナ軍の兵士損失率はロシア１に対して８であり、ウクライナにはもはや戦争を遂行する能力はない」と論じています。

米ワシントン・ポスト紙はライス元国務長官やゲイツ元国防長官の寄稿文を掲載して、「欧米の一層の支援がなくなればウクライナは敗北しかねない」と警鐘を鳴らしました。表向きはウクライナ支援強化を促したと読めますが、本音はむしろウクライナの敗北が迫っていることに気づかせる効果を狙ったとも考えられます。

なぜなら、ライス元国務長官のコメントにはネオコンの意向が反映されている可能性があるからです。

また、ウルズラ・フォン・デア・ライエンＥＵ委員長が「ウクライナ軍の死者は10万人に及ぶ」と発言したとも報じられましたが、足並みが揃わないＥＵ加盟国の対ウクライナ支援をリードしてきた委員長の発言だけに、極めて注目されます。ウクライナ正規軍は事実上壊滅していることを示唆するものだからです。

その話を裏付けるように米ワシントン・ポスト紙は２０２３年３月13日、米欧当局者の推計として、「ロシアの侵略に抗戦を続けるウクライナ軍の死傷者数が最大約12

万人にのぼる」と報じています。

ＤＳメディアは決して認めていませんが、反ＤＳメディアや個人のＳＮＳなどによる発信をまとめると、現在、ウクライナで戦闘に従事しているのは、ポーランド兵４万人をはじめ、イギリス、アメリカなどほとんどがＮＡＴＯ諸国の義勇兵（総数９万人）であることが流布《るふ》されるようになりました。つまり、いまやロシアとウクライナの戦争はロシア軍（一部に友好国の義勇兵や軍事会社の兵士も参加しているとされる）とＮＡＴＯ義勇軍という戦いであるとの構図が浮かび上がってくるのです。

これらの状況から、もはやゼレンスキー大統領は、欧米に向けた宣伝係と見ることができます。ゼレンスキー大統領は己の意思で自由に発言しているわけではなく、バイデン政権の指示に従って行動しているというのが実態なのでしょう。

ウクライナ政府の発表を検証もせずに報じていた欧米のメディアは、最近になって現実を踏まえた報道に徐々に切り替わりつつあります。

そうした欧米の動きは、わが国のメディアにも波及しつつあります。ウクライナの敗北という決して認めたくない現実に目をつぶることが、もはや不可能になったということです。

23年1月10日付産経新聞の『ウクライナ人への危惧』と題す遠藤良介論説委員のコラム（『一筆多論』）を見てみましょう。遠藤氏はかつて産経新聞モスクワ支局長を務めたロシア通ですが、私はコラムを読んで本音を語れない〝事情〟があるようだと感じました。

コラムでは「たとえ時間がかかっても、何ら大義を持たないロシアは敗れ、この戦争はウクライナの勝利で終わるに違いない」との希望を述べた後、ウクライナ人に対する一抹の不安について長々と解説しておられますが、指摘されている不安がウクライナの敗北を予想しているように読み解けるのです。

ウクライナ人への不安として、〝コサックの自由を愛するが故に混乱を招きかねない伝統精神〟を挙げておられますが、皆さんもご承知のとおり、今回の戦争を指導しているのはコサックではなく、アメリカのネオコン政権ですから、矛盾を隠せない。

最も注目したいのはウクライナと米欧日との信頼関係が揺らいでいることを示唆する記述です。22年11月のポーランドへのミサイル落下事件についてのゼレンスキー大統領の頑なな態度、支援武器の横流しの噂、米共和党の支援見直しの動きなどに触れつつ、ウクライナ側に警鐘を鳴らしておられる。

このような記事を載せたこと自体、ウクライナの敗北が迫っていることを間接的に認めざるをえなくなった表れと見ることができますし、そのときのための保険、ともとれます（ウクライナ戦争の欺瞞については第3章にて解説）。

第1章では、ここ数年の事例と直近の情勢をふまえて陰謀論というレッテル貼りの崩壊について、お話ししました。陰謀論という言葉の効果が消滅したいま、私たちは次のフェーズに移る必要があります。

〝陰謀論〟同様に、言論弾圧のキーワードとなっている〝歴史修正主義（歴史修正主義者＝リビジョニスト）〟というレッテルの無効化です。そのためには〝民主主義〟の正体を見抜くこと。これらが、安倍元総理の悲願であった戦後レジームからの脱却、つまり〝日本を取り戻す〟一歩となるのです。

第2章

民主主義とは名を変えた専制政治である

民主主義の矛盾

〝民主主義〟という言葉を聞けば、世界で最も先進的な政治体制であると信じ込んでおられる方が多いのではないかと、心配しております。なぜ、心配なのか、本章ではその理由を説明します。

実は〝民主主義〟という言葉も陰謀論やレイシストやファシストと同じ役割、つまり言論弾圧用の中傷語として、ポリティカル・コレクトネス主義者（以下ポリコレ主義者）に利用されていることをご存じでしょうか。ポリコレ主義者とは、誰も反論できないような抽象的概念を振りかざして、そのくせこれらの意味を腑に落としていないがために自家撞着《じかどうちゃく》を起こしている、哀れな無意識的共産主義者を指します。

彼らの常套《じょうとう》手段は〝民主主義に反する〟という否定的表現で相手に威圧的に接することです。つまり、民主主義という言葉は常に否定的表現とセットで使われているということです。

戦後日本人にとって民主主義は否定できない絶対的な価値であり、ポリコレ主義者（戦後民主主義者と言い換えることもできます）の既得権益に疑問を呈する言論は、

〝反民主主義〟であると断罪されてきました。繰り返しますが、民主主義について議論するのではなく、民主主義という言葉のみを弄《もてあそ》んでいるわけです。

先に見たように、ウクライナ戦争は、自由民主主義vs権威主義と図式化され、後者に位置づけられたロシアや中国は全否定の対象です。

共産党による一党独裁の中国が権威主義専制国家であることに異論はないとしても、ロシアを同列に扱うのはおかしい。ロシアという国家の国柄や、プーチン大統領の思想については後述するとして、本章では私たちが優れたものと思いこんでいる〝民主主義の正体〟に重点を置いて解明していきます。

最初に述べましたように、戦後民主主義は〝ポリティカル・コレクトネス〟という実体のない抽象概念ということです。彼らは民主主義の内容については語らず、マイノリティを〝被害者〟として捏造《ねつぞう》し、それを利用して社会を変革していくという革命的思考の持ち主です。だから、私は彼らを共産主義者と呼んでいるのです。

私たちは学校やメディアで、民主主義が最上の政治体制であることをいやというほど習ってきました。しかしその定義となると多くの意見があり、誰もはっきりと回答することができないのです。

民主主義を表す英語の〝デモクラシー〟という語は、ギリシア語の〝demos（人民）〟と〝kratia（権力）〟という2つの語が結合した〝demokratia〟に由来します。

本来なら、〝人民多数の意思〟が政治を決定する思想のはずです。したがって、多数の意思を知るために国民に普通選挙権を認めていることが大前提となります。

しかし、戦後日本においては、その大前提が左翼リベラルによってしばしば〝多数派の暴力〟と否定され、〝少数派〟の保護や権利が声高に叫ばれているのが現状です。〝ポリティカル・コレクトネス〟が〝少数優遇政治〟と揶揄《やゆ》される所以です。

では民主主義の欺瞞とは何でしょうか。

私が見たところ、民主主義の欺瞞の最たるものは民主主義が〝自由〟と〝平等〟の両立を説いていることです。

自由と平等が本来、両立し得ない概念であることは、常識的に考えてみればわかることです。個人の自由を推し進めれば、闘争が起こり、平等は失われる。社会が平等となれば、個人の自由は制限されるからです。つまり、民主主義というのは大きな矛盾をかかえた、非実体的な概念なのです。

そして、日本国憲法に民主主義という言葉が一語も使われていないことは、あまり

フランス革命「人間および市民の権利の宣言」。提供：New Picture Library/アフロ

知られていません。自由と平等の原則は1789年から始まったフランス革命による人権宣言（人間および市民の権利の宣言）で掲げられたものですが、欺瞞はそのときから胚胎《はいたい》していたのです。

不正がまかり通る選挙

民主主義の矛盾を指摘しましたが、民主主義とデモクラシーはまったく関係がない概念とさえ言えます。

それは、〝民主主義のお手本〟であるはずのアメリカにおいて、2020年の大統領選挙時に行われた大規模な不正が見事に表してくれています。

アメリカでは2020年ほどではないにしても、選挙不正は当たり前に行われてきました。

たとえば、1960年の大統領選挙。

共和党のリチャード・ニクソン候補と民主党のジョン・F・ケネディ候補の間で、イリノイ州やテキサス州などでの投票の不正や票の買収などが指摘され、選挙結果に影響を与えた可能性があるといわれています。

また、1968年にも、共和党のリチャード・ニクソン候補と民主党のヒューバート・H・ハンフリー候補の間で、イリノイ州などでの投票の不正が指摘されました。

2000年の大統領選挙では、フロリダ州の投票システムの問題や投票用紙の不備などにより、選挙の結果が不透明な状態に陥りました。

結果的に、共和党のジョージ・W・ブッシュ候補がフロリダ州の選挙人投票において、民主党のアル・ゴア候補にわずかながら勝利し、大統領に選出されたものの、アル・ゴア陣営はフロリダ州の選挙結果に異議を唱え、訴訟を起こして選挙の再集計を求めました。その後、最高裁判所がフロリダ州の再集計を中止する決定を下したため、ようやくブッシュ候補の勝利が確定したのです。

続く2004年にも2期目を目指すブッシュ候補と民主党のジョン・F・ケリー候補の間で、オハイオ州などでの投票機械の不具合や、有権者登録の問題などが指摘され、選挙の正当性が疑われました。

常識で考えれば中間選挙もおかしい

２０２２年11月8日に行われたアメリカ連邦議会の中間選挙があれほど世界から注目されたのは、２０２０年の不正選挙で追放されたトランプ前大統領、そして共和党がどう巻き返すのかに関心が集まったからです。

通常、大統領就任後の最初の中間選挙は現職大統領に対する信任投票の意味合いがあります。そして、これまですべての大統領が中間選挙で与党の議席、とくに全議席が改選となる下院の議席を落としてきました。

したがって、トランプ前大統領が依然としてリーダーである共和党が、上下両院を制するかに関心が寄せられたのです。トランプ前大統領が事実上復権して、現在の世界の無秩序状態が改善されることを願った人がそれだけ多かったのでしょう。

結果的には、上院では民主党が51議席、共和党は48議席を確保し、下院では共和党が過半数の議席を獲得しました。

しかし、大統領選と同様に一部で郵便投票などの集計が遅れ最終結果がなかなか出ない異常事態が起きていました。また、事前の各種世論調査では、共和党圧勝の〝レッドウエーブ〟が予想されていたにもかかわらず、圧勝という結果にはならなかった。激戦州を中心に、民主党側によって不正選挙が行われたことを示唆する事態が起きました。たとえば、アリゾナ州では投票所で投票集計マシーンの故障が発生して投票者の長蛇の列ができ、諦めて引き返した有権者がいたことが明らかになっていたり、選挙職員が有権者に違法な誘導を行ったことも報告されています。

そもそも、選挙当日に激戦州で集計マシーンが故障する偶然が発生するものでしょうか。当日投票者には共和党支持者が多かったことなどを勘案し、常識で考えればわかります。

前回の大統領選挙で大規模な不正が行われた各州の上院選挙を見れば、ジョージア州で人気がない民主党候補が接戦を演じたり、ペンシルベニア州で議員として適格性に欠ける民主党候補がトランプの支持を受けた共和党候補に勝ったり、ネバダ州では選挙数日後にやっと民主党候補の当選が伝えられたりするなど、にわかには信じがたい事態が頻発しています。

当初、中間選挙を取り巻くアメリカの国内情勢は、バイデン政権に不利な材料が山積していました。選挙民の最大の関心事である経済は、ガソリン価格を筆頭にインフレが昂進。さらに不法移民の増大や治安悪化などによる社会不安の深刻化や、バイデン大統領の失言癖や指導力の欠如など、どこから見てもバイデン支持が高まる要素はなかった。それなのにバイデン氏が〝歴代のどの大統領よりも中間選挙でいい成績を収めた〟などと言われても、正当な選挙の結果だと信じることはできません。

国民的人気を誇ったレーガン大統領ですら、下院で前回の中間選挙に比べて相当数の議席を失っているのです。オバマ大統領はじめ他の大統領も、基本的にこのような傾向にありました。

２０２０年の大統領選挙の結果も、常識で判断すれば不正の存在を見抜くことは容易でした。皆さんもご承知のとおり、一般投票におけるトランプ大統領の獲得票数は、徹底した反トランプメディアの最も低い数字でも７４００万票です。

これに対して、選挙運動を行ってこなかったバイデン候補が８１００万票も獲得したと報じられましたが、この数字はオバマ大統領が２０１２年に獲得した６５００万票を１６００万票も上回っている。〝そんなはずがない〟ことは誰でも常識で判断できます。

さらに言えば、トランプ・バイデン両候補の獲得票を合計すれば、１億５５００万票になりますが、これは登録有権者2億人の77％にあたります。つまり、例年の投票率約60％から15ポイント以上も〝ジャンプ〟したことになるのです。

郵便投票によりある程度の投票率上昇が見込まれたとはいえ、あまりにも高すぎます。これも常識的に考えれば、おかしい。

しかし、「おかしい」と言えば言論弾圧され、非常識がまかり通ってしまうのが〝民主主義の手本〟たるアメリカの現実なのです。

民主主義という専制支配システム

皆さんは、2020年の大規模不正選挙を見て、アメリカの民主主義が否定されたと感じられたことと思いますが、実はアメリカの民主主義は約100年前からデモクラシーではありませんでした。そう聞くと、信じられないとおっしゃる方が多いのではと想像しますが、残念ながらこれは事実（ファクト）なのです。

にもかかわらず、私たちはつい最近まで「アメリカこそ民主主義の旗手である」と頭から信じ込んでいたのです。なぜ、そうだったのでしょうか。以下の公開情報をじっくりと味わってください。

〈世の中の一般大衆が、どのような習慣を持ち、どのような意見を持つべきかといった事柄を、相手にそれと意識されずに知性的にコントロールすることは、民主主義を前提とする社会において非常に重要である。この仕組みを大衆の目に見えない形でコントロールすることができる人々こそが、現在のアメリカで「目に見えない統治機構」を構成し、アメリカの真の支配者として君臨している〉（エドワード・バーネイズ『プロパガンダ』成甲書房）

私はこの引用文を多くの著作で記し、あらゆる機会に発言しています。これはいくら繰り返しても繰り返しすぎることはない重要な引用と考えています。なぜなら民主主義の正体とその真の支配者の存在を当事者が公言しているからです。

『プロパガンダ』を著したエドワード・バーネイズという人物は、第1次世界大戦当時、ウィルソン大統領のアドバイザーを務めており、ヨーロッパの戦争に参戦することを拒否していたアメリカ世論をドイツとの戦争に向かわせるためにつくられた政府の広報委員会（ＣＰＩ）で活躍しました。つまり、プロパガンダのプロです。

そのような人物が、「民主主義は少数の人々によりコントロールされてきた」と書いているのです。つまりピープルは自由に投票していたのではなく、〝目に見えない統治機構〟の意に沿った投票を繰り返してきたにすぎないということです。

〝目に見えない統治機構〟、すなわちＤＳは、１００年も前からいまに至るまでメディアを利用した洗脳により、自分たちの都合のいいように世論を動かしていたということです。

その実態こそ、国民に見えない〝専制支配〟と言っても過言ではないでしょう。目に見えないだけに、この専制支配に気づくことが極めて困難なのです。私が本書を記した最大の理由は、民主主義国における専制支配の構図を暴くこと、読者の皆さんに〝現代世界における最大のフェイク〟に気づくきっかけを持ってもらうことなのです。

もちろん、日本も無関係ではありません。残念ながら日本も専制主義的民主主義国なのです。いまの日本を純粋の〝民主主義国〟と信じているなら、是非目覚めていただきたい。以下の文章が目覚めへと誘ってくれることを願っています。

バーネイズは、私たち大衆が物事の判断をするとき、厳密な思考ではなく、衝動や感情や習慣を優先していると指摘します。

言われてみればそうかもしれません。彼は広告や宣伝を通じて人々の無意識の欲求や感情を刺激し、行動をコントロールすることができると考えました。また、大衆の判断に影響を与えるものとしてリーダーの存在の大きさをあげています。

家庭を持ち、仕事をする私たちは世の中で起こっていることについて、ひとつひとつ自分で考えられるはずがありません。

時間的にも能力的にも限界があるからです。ではどうするかというと、信頼の置けるリーダーの意見を聞くことになる。そして、そのリーダーの意見に納得し、自分の意見だと錯覚したとしても、それは無理からぬことでしょう。本来、政治家とはそのような信頼できるリーダーでなければならないからです。

バーネイズはリーダーの行為が大衆にとっての手本となるのは、大衆心理学において最も確実に立証されている原理原則であるとまで書いています。そして世論に影響を与える人物を「オピニオンリーダー（Opinion Leaders）」と規定し、オピニオンリーダーによって一般大衆を洗脳したわけです。

彼らの狡猾《こうかつ》なところはこうした大衆心理学の手法を駆使しているところです。ちなみに、バーネイズは高名な精神分析学者ジグモンド・フロイトの甥です。思えば私たちもずいぶん馬鹿にされたものです。しかしながら、嘆くだけでなく、彼らが私たちの弱点を突いてきていることを見破る必要があるのです。

私たちは日々の生活に追われて疲れています。そんなときTVから飛び込んでくるニュース解説についつい頷いてしまうのではないでしょうか。自分の頭で考えることを放棄しがちです。

しかし、一歩でも距離を置いてニュースを観る習慣をつければ、彼らの欺瞞が見えてきます。これは実践してみればわかります。そんな面倒なことはバカバカしいと突き放す前に、まずは彼らの説明ぶりをじっくりと観察してみましょう。このような地道な行いの積み重ねが、皆さんの視野を広げてくれます。

繰り返しますが、要は実践です。私たちは「他人の言葉に左右されるよりも、自ら実践する」という生きる基本を忘れがちです。この基本を思い出せば、彼らの洗脳を解くことは可能です。彼らの洗脳支配は私たちが見破ることで消え去る運命にあります。その例として、もう一度ウクライナ戦争を取り上げます。

ウクライナの政治腐敗

今回のウクライナ戦争において、メディアがウクライナを自由民主主義陣営に位置づけていることからも民主主義の欺瞞が見えてきます。残念ながら、ウクライナは政治が腐敗し、不正選挙が繰り返され、民主主義国とは言えないのが実体です。

英雄視されているゼレンスキー大統領も、日本のマスコミ報道を鵜呑みにせず、その実体を見極める必要があります。

アメリカの著名なジャーナリスト、セイモア・ハーシュ記者が4月12日に発表した記事は、「ゼレンスキー大統領とその高官たちは、アメリカからディーゼル燃料の予算を受け取っておきながら、安価という理由で敵国のロシアの燃料を買い、数百万ドルの差額を着服してきた」と報じています。

米中央情報局（ＣＩＡ）のアナリストによる試算では、横領された資金は少なくとも２０２２年だけで４億ドルにのぼるとのこと。

ゼレンスキー大統領は以前にも、タックスヘイブン（租税回避地）を利用した取引にかかわっていたことを国際調査報道ジャーナリスト連合（ＩＣＩＪ）が入手した資料から暴露されています。

いわゆる〝パンドラ文書〟と呼ばれるものですが、ゼレンスキー大統領は2019年大統領選で当選する直前、資産を秘密の国外企業に移したと言われています。ウクライナ戦争後の亡命を視野に入れてのことでしょうか。

また、米CNNなどの各種報道によると、世界中から支援を受けているにもかかわらず、ウクライナの国防軍関係者が武器の横流しをしていることもわかっています。たとえばジャベリン対戦車ミサイルFGM-148が、ウクライナの軍人や政治家によってブラックマーケットに売られたほか、一部のミサイルが不正に流出し、ロシアや中東などの国に渡った可能性が指摘されており、アメリカはウクライナ向けの兵器の追跡や監査などの対策に追われました。

ウクライナの税務当局が企業から不当に税金を徴収するなどの不正を行っているという指摘もあります。加えて、警察や検察当局でも、汚職や権力の乱用が問題となっているのです。

かねてよりウクライナのエネルギー市場においては、政治家や官僚による不正が繰り返されてきました。国有企業の資産が不当に売却されたり、エネルギー供給をめぐる所有者不明の複数のペーパーカンパニーの存在が指摘されており、私も大使としての在勤中に一度ならずそれらの存在を確認しました。さらに、公共事業における腐敗も問題となっています。

政府による公共事業には、競争入札による手続きが必要ですが、実際には汚職や不正が行われ、多くの企業が政府と癒着している――。このことは私もウクライナ大使時代に体験した苦い例があります。

2004年のオレンジ革命の後、大統領は親米派のユーシチェンコ氏に代わりましたが、ウクライナ政界は一向に腐敗が絶えませんでした。2005年に、日本がウクライナにはじめて円借款の供与を決めたのですが、その案件はキエフのボリスポリ国際空港にビルを建設することでした。ところが、入札時期など以後の段取りが遅々として進まないのです。

これは後でわかったことですが、遅れていたのは空港の土地の一部を所有していた民間人が自分のところに円借款の資金が回ってくるよう政治家を買収していたからでした。担当の運輸大臣や外務省幹部などに何度も催促しましたが、いつも梨のつぶてでした。

それを打開してくれたのが、大統領選挙で敗れた後、議会選挙で第一党になって首相に就任した親露派のヤヌコーヴィチ氏でした。私が第一副首相のアザロフ氏にこれまでの経緯を説明し早急に進めるよう直談判したとたん、あれよあれよという間にすべてが決まっていったのです。

約200億円の事業だったのですが、残念ながら建設を請け負ったのはトルコ企業で、日本企業は一社も入札に関心を示しませんでした。同僚のトルコの大使が笑みを浮かべながら私に握手を求めてきたのを覚えています。私はそのあとすぐにウクライナを去ったので完成を見ておりませんが、空港には立派なビルが建ったようです。

誤解してほしくないのは、腐敗しているのは政治家であって、ウクライナの国民ではありません。

ウクライナ国民の民度の高さを示すエピソードを紹介します。

日本政府は円借款以外にも額は少ないのですが様々な形の援助を行っていました。キエフ郊外の学校の修復費用を援助した際の話ですが、担当の先生が、「日本の支援は大変ありがたいのですが、本来このようなことは自分たちでやらなければならないことです。いずれ自分たちも自前で修復ができるように努力したい」と切実に訴えていました。この発言を聞いて、ウクライナ国民は必ず発展するだろうと納得したものでした。

２０１２年に著した『いま本当に伝えたい感動的な日本の力』（総和社）でも指摘したことですが、ウクライナ国民は伝統を守り自国を愛している人たちが多い。自分たちの伝統と文化を大切にし、そのための教育にも熱心です。

ウクライナは10世紀にキエフ大公国として建国されて以来、今日の独立国家に至るまでの１０００年以上にわたる年月において、そのほとんどの期間を周囲の列強に支配されるという苦難の歴史を歩んできました。

強国による支配下にあっても、ウクライナの人々は〝伝統〟と〝文化〟を守り続けてきました。ゆえにウクライナの人々は自分の国に誇りを持っているのです。

民主主義と呼べる国はあるのか

スウェーデンのストックホルムにある「民主主義・選挙支援国際研究所（ＩＤＥＡ）」が例年発表している報告書『世界の民主主義の状況』の２０２１年度版による

と、ウクライナは指数の改善から【中度の民主主義】のリストに加えられました。

同報告書は、IDEAが世界160カ国の体制を調査したもので、調査結果に応じて、【権威主義体制】、【移行（ハイブリッド）体制】、【脆弱な民主主義】、【中度の民主主義】、【完全な民主主義】に分類しています。

ウクライナは議会能力、政治意思、国際的サポートによる状況の改善が指摘され、国家汚職防止庁（NAPC）や電子資産申告制度の作業などを通じて、汚職対策での進展が維持されたとの評価から【中度の民主主義】に位置づけられたものの、2020年までは【脆弱な民主主義】との評価を受けていました。

ようするに、数年前まで一般に専制国家と目されるアフガニスタンやイランといった国と同列に扱われていたということです。

22年1月21日付産経新聞の『モンテーニュとの対話』というコラムで同報告書のことが触れられています。

〈（前略）スウェーデンに本部を置く民主主義・選挙支援国際研究所（IDEA）の2021年の調査によると、民主主義国家は98カ国、ロシアやトルコのように民主主義的制度はあるものの現実は強権的な運営がなされている国家が63カ国、中国や北朝鮮などの専制主義国家が44カ国とされている。恐ろしいのは、民主主義国家が減少し、逆に強権的、専制主義的国家が増加しつつあることだ（後略）〉

民主主義国家の現象を危惧していますが、大いに的外れです。

最高ランクの【完全な民主主義国】のなかには日本、そしてあの大規模な不正選挙がまかり通るアメリカが入っています。つまり、事実上〝民主主義〟と言える国はほとんどないに等しいということです。

これを極論すれば、〝目に見える専制国家〟と〝目に見えない専制国家〟しかないと言えます。メディアや知識人が発する〝民主主義vs権威主義〟という図式がいかに虚しいものであるかがわかると思います。

堕落した民主主義は共産主義に向かう

このような民主主義の実体に対し、〝堕落した民主主義〟と的確に表現されたのが、東北大学の名誉教授である田中英道先生です。

田中先生が著された『虚構の戦後レジーム』（啓文社書房）には、民主主義の欺瞞について腑に落ちる話が数多くあります。

たとえば、ＧＨＱ民政局のチャールズ・Ｌ・ケーディスやアルフレッド・Ｒ・ハッシーをはじめとする日本国憲法を草案した人物たちは社会主義者ないし共産主義者であるということ。アメリカ型の戦後民主主義は〝二段階革命説〟の第一段階にあたり、第二段階の共産主義へ進むためのステップであったと指摘しています。

つまり、最終目的地は共産主義体制なのです。だとすれば堕落した民主主義が、少数のエリートが支配する共産主義に似てくるのは当然でしょう。

明治時代後半から日本の知識人に広く受け入れられ、戦後に猖獗《しょうけつ》を極めたマルクス主義の歴史観は〝唯物《ゆいぶつ》史観〟と呼ばれています。

〝唯物史観〟は、歴史上の社会は生産様式によって規定され、生産力と生産関係の矛盾、すなわち〝革命〟が社会発展の原動力であると考えます。

そして歴史は進歩するという〝進歩史観〟をとり、アジア的生産様式↓ギリシア・ローマ奴隷制↓ヨーロッパ封建制↓資本主義体制↓社会主義体制へと、全世界は次々に進化していく。そしてその最終段階が共産主義体制だと位置づけます。

欧米や日本がとっている資本主義よりも、社会主義や共産主義のほうが進化した体制だと規定したいのです。

ちなみに、社会主義と共産主義は、両者とも競争のない平等な社会とされますが、前者は国家があり、後者には国家がありません。共産主義とグローバリズムが同根なのは、両者とも国家という枠組みを破壊することで一致するからです。

日本をマルクス主義が席巻した大きな理由は、〝欧米に比べ資本主義国としては遅れていた〟という認識があったためです。

しかし先進国の欧米でさえ、共産主義には至っていない。唯一ロシア革命を起こし社会主義体制をとっていたソ連が遅れた資本主義国にとって憧れの的になったのは、コンプレックスの裏返しと言っていい。

ところが日本では、マルクス主義も、衣を替えた共産主義であるグローバリズムも原点はユダヤ思想であるということが見逃されてきました。過去（＝歴史）を否定し、未来（＝進歩）を夢見て既存国家を破壊する――つまり、国家を失った民の必然から生まれた思想ということです。

そもそも万世一系《ばんせいいっけい》という天皇を戴いた一君万民《いっくんばんみん》の国体を持つ私たち日本人には、ユダヤ思想に潜む欺瞞を理解することは困難なのです。

共産主義という未来の理想社会を実現するという名目のために何億人という人々が犠牲に供せられたか——戦勝国史観の歴史教科書の知識として暗記しているレベルでは、歴史感覚、皮膚感覚としてはわかりません。そして堂々と共産主義を名乗る政党が存在しています。

だからいまだに日本ではマルクスの人気があり、共産主義に対する〝本当の恐怖心〟が薄い。しかしそれでは日本を破壊しようとする〝敵〟の正体が見えてこないのです。

共産主義を断罪する歴史決議

リビジョニストと中傷されてきた歴史家たちにとって、胸のわだかまりが晴れた出来事がありました。ＥＵの欧州議会が「ファシズムは歴史上最悪の体制である」との正統派歴史観の一角を突き崩す決議を採択したのです。これまで共産主義者たちが安閑としていられたのは、「共産主義は史上最大の巨悪である」と見なされてこなかったからです。彼らは、ファシズム、ファシストというレッテル貼によって、自分たちが犯した人類史上最大の巨悪を隠し通してきました。

しかし、２０１９年９月19日、ナチスドイツと戦った当の欧州において、これまでの〝ヒトラー単独犯説〟を見直す画期的な決議がなされました。私の著作を熱心に読み込まれている方ならご存じでしょう、「欧州の未来に向けた重要な欧州の記憶」決議採択がそれです。

この歴史的決議は、第２次大戦の原因は〝ヒトラーのポーランド侵攻である〟とする従来の正統派歴史観を一部修正して、「第２次世界大戦が勃発した原因は１９３９年８月23日に締結された独ソ不可侵条約とその付属議定書（ナチスドイツとソ連でポーランドを分割する取り決め）の直接の結果である」と断定したのです。

この意義を私たち日本人は、しっかりと受け止めなくてはなりません。なぜなら、ナチスドイツとともに共産主義の罪に関して、次のように断罪しているからです。

〈20世紀において、ナチスと共産主義政権は大量殺戮、大量虐殺、国外追放を実行し、人類の歴史上、他に見られない規模で生命と自由の喪失《そうしつ》を引き起こした。共産主義による蛮行は、ナチス政権によって行われたホロコーストの恐ろしい犯罪を想起させる。したがって、ナチス、共産主義、および他の全体主義政権によって行われた攻撃行為と人道に対する罪および大規模な人権侵害を最も強い言葉で非難する〉

ナチスだけを悪とする正統派歴史観から、半歩とはいえ前進したと言えるでしょう。そしてもちろん、〝ファシズムは共産主義より悪い〟という史観は、共産主義者だけのものではありません。第2次世界大戦においてソ連と手を組んだ連合国、特にアメリカのルーズベルト大統領とイギリスのチャーチル首相を免責する大義名分でもあったのです。

歴史修正の第一歩はヒトラーの再評価と、ルーズベルト大統領とチャーチル首相を擁護する歴史観の見直しから始まると言っても過言ではありません。陰謀論はもう幅を利かせることができなくなりましたが、次に私たちがターゲットとすべきなのは〝歴史修正主義〟です。実は本書の全体を貫くテーマは、歴史修正主義への中傷を葬り去ることです。本書を読み終えて腑に落としていただければ、皆さんは歴史修正主義者（リビジョニスト）として、胸を張れると確信しています。

腐敗した民主主義に変わるもの

前章で、欧米の〝言葉による支配〟について触れましたが、なぜ欧米文化は言葉にこだわりをみせるのでしょうか。

旧約聖書において、ユダヤ・キリスト教の〝神〟はあらゆるものを創造するのですが、世界を創造する前に〝言葉〟があったのです。「はじめに言葉ありき」という聖書の最初の一節に根源があると推察します。

「光あれ」「陸地と海とを分けよ」「空をつくれ」

言葉によって神による世界の創造は進められたわけです。様々な解釈がありますが、〝言葉＝神〟と解釈することができます。

つまり、ユダヤ・キリスト教においては言葉が最も重要なのです。じっさい欧米社会では言葉によって権力関係やイデオロギーが形成されています。政治家や宗教家は言葉を使って民衆を説得する。言葉が人々の信条や行動を左右するのです。

イスラム教にも同じような世界観があります。イスラム教では、聖典であるクルアーンに書かれた言葉自体が神の啓示であるとし、アラビア語が重視されます。また、預言者ムハンマドが語った言葉や行動（スンナ）も、アラビア語で伝えられたものが正しいとみなされています。このため、イスラム教徒にとって、アラビア語そのものが非常に重要な言語であり、クルアーンを理解するためにもアラビア語の学習が必須となるのです。

イスラム教を含むユダヤ・キリスト教文明においては、唯一神が言葉を通して人間にメッセージを伝えることを預言といい、それを伝える人を預言者と称して重要視します。そして唯一神によって人間は創造され、人間は唯一神の戒律に従うべき存在とされています。言葉によって唯一神が人間に伝えた意思、その実践が求められるわけです。

ところが、わが国では言葉よりも実践を重視してきました。わが国では自然界に八百万《やおよろず》の神々がおられ、神々にもそれぞれ役割があるとされています。一神教のゴッドと違い、日本では神々が働きます。私たちの先祖である神々は高天原《たかまがはら》で働いておられたのです。したがって、私たちは先ず神々の働きを言葉よりも重視し、働くということによって神々と同一化することができると考えます。ゆえに私たちにとって仕事は〝神事《かみごと》〟となるのです。

この点は、江戸時代の篤農家《とくのうか》・二宮尊徳が農地開墾に携わる農民を鼓舞して、「古道に　つもる木の葉を　かき分けて　天照す神の　足跡を見ん」と歌を詠んだ心境にも通じるものがあります。そもそも〝宗教〟という言葉は日本にはありませんでした。

古来より日本人が実践してきたのは〝惟神（かんながら）の道〟です。

これは神々と一緒に生活する、神々の道を歩むという教えであり、神と人間は独立した別の存在ではなく、繋がっているということ。ユダヤ・キリスト教文明においては人も自然も唯一神によって〝創られた〟存在となっていますが、日本においては神々も人も、ともに自然から〝生まれた〟存在です。

ゆえに日本人にとって神は自分の心の中に存在する〝内在神《ないざいしん》〟という発想にもなるのです。つまり、教典も預言も不要なのが日本人なのです。

結果として言葉を重視する欧米文化は、法律を頼りにする〝契約社会〟であり、裁判官や弁護士が幅を利かせています。

日本には中国から律令が入り、明治維新以降は欧米から法律を学び、憲法も制定しましたが、基本的には〝信用社会〟です。信用社会のわが国においては、長々とした憲法は不要です。聖徳太子の『十七条の憲法』と、明治維新の際の『五か条の御誓文』で十分でしょう。ここに『教育勅語』を入れてもよい。

先に紹介した田中英道先生の〝堕落した民主主義〟という言葉は、2023年4月8日に神戸の三宮にある日本経済大学で開催された「日本国史学会 大東亜会議80年シンポジウム」の冒頭における先生の挨拶にあったものです。

〝堕落した民主主義に代わる日本の君民共治を〟というタイトルなのですが、まさにいまの日本に求められているのがこの〝君民共治〟です。

この君民共治については私も以前『新国体論』（ビジネス社）で詳述しています。詳しくは第7章で述べますが、民主主義では両立しない〝自由〟と〝平等〟が、日本の君民共治では矛盾せずに成り立つのです。

第3章

ウクライナ戦争の現状とDS・ネオコンの弱体化

電撃訪問の舞台裏

皆さんに見抜く力をつけてもらうために、ここでもう一度ウクライナ戦争とは何だったのか、を考えてみましょう。公表されているファクトを丹念に繋ぎ合わせてゆくと、まるでジグゾーパズルを解くように、繋がってくるのです。これに気づいた時の心の躍動、醍醐味を味わっていただきたい。そこで、やや詳しくウクライナ戦争を追ってみます。

２０２３年2月20日にバイデン大統領が、そのひと月後である3月21日に岸田総理が相次いでウクライナへ訪問しました。いずれも〝電撃訪問〟であることが強調されましたが、電撃でなければならない理由はまったく別にあると見ています。

中身があったとは言えない岸田首相の訪問に比べて、バイデン大統領の訪問は非常に重要な意味があるのです。

２０２２年2月にロシアのウクライナ侵攻が開始されて以来、欧州諸国などの首脳が相次いでウクライナを訪問し、ゼレンスキー大統領と会談してきましたが、いずれも〝電撃訪問〟ではありませんでした。

列車に10時間揺られてキエフに到着したバイデン大統領。
写真：AP/ アフロ

それなのに、23年2月20日のバイデン大統領のキエフ訪問はなぜ電撃訪問だったのでしょうか。この理由を解明すると、ウクライナ戦争が終結に向けて動き始めたことが見えてきます。

電撃訪問の日程（いずれも現地時間）は概略次のようなものでした。

2月19日未明（午前4時15分）、ワシントン郊外のアンドルーズ空軍基地を大統領専用機ではなく要人輸送用の空軍機で出発。ドイツのラムシュタイン米軍基地で給油の後、ポーランドに到着。

車でウクライナとの国境の町に移動し、そこから夜行列車で10時間かけてキエフ中央駅に20日の午前8時到着。ゼレンスキー大統領との首脳会談の後、再び列車でポーランドへ移動し、20日の夜遅くにワルシャワ到着。

なんとキエフ滞在は5時間にすぎないという実に慌ただしい日程でした。

バイデン政権側は今回のキエフ訪問が事前に漏れないように周到な用意をしたと報じられていますが、秘密を保持しなければならなかったのは、ロシアを意識してのことは思われません。むしろ米政権内でキエフ訪問に対する反対意見が強かったからではないかと考えられます。

ウクライナ支援一辺倒のバイデン政権の姿勢からすれば、ウクライナ激励訪問に反対論が出るとは考えられません。ならば、訪問の目的は別のところにあったと考えるのが合理的です。

すなわち、変わらぬウクライナ支援の姿勢を伝えることではありません。ロシアの全面攻勢が迫っているなか、アメリカはこれ以上軍事支援できないので、ロシアとの停戦交渉に入るプロセスを開始するよう申し渡すための訪問であったと解釈することができます。

ウクライナ敗北による停戦には、この戦争を画策したビクトリア・ヌーランド国務

2022年12月3日、キエフを訪問するビクトリア・ヌーランド国務次官。
写真：AP/ アフロ

次官をはじめとするネオコン勢力が強硬に反対することは目に見えています。

ヌーランド次官はウクライナ戦争の終結について強硬な意見を言ってはばかりません。要約すれば「少なくともクリミア半島が〝非武装化〟されない限り、ウクライナは安全だとは感じられない。理想的な終結はモスクワで革命が起こることである。ウクライナ人にとって持続可能な地図を手に入れる必要がある。アメリカの立場は、〝ウクライナは国境内のすべての領土を取り返す義務がある〟というものであり、そこにはクリミアも含まれる」ということです。

さらには「ウラジーミル・プーチンが

権力を握っている限り、本当に終わったとは決して信じてはならない」「ロシア人が政府を転覆することを望む」などと露骨な発言を続けてきました。

こうしたネオコン勢力がいたからこそ、今回のキエフ訪問は秘密裏の電撃訪問でなければならなかったのです。

その傍証《ぼうしょう》となるのが、アメリカがウクライナ訪問を事前にロシアに通知していたことです（サリバン大統領補佐官の記者団への説明）。

表向きはウクライナの制空権を保持しているロシアが米大統領に危害を加えないよう通知したという説明が可能ですが、よく考えれば辻褄《つじつま》が合わない点が出てきます。

そもそも、ロシアにとってアメリカ大統領に危害を加える動機は皆無です。そんなことをすれば、ただちに米露戦争に直結することは間違いなく、ＮＡＴＯとの戦争を回避したいロシアとしては絶対に避けなければならないからです。

事前通知の目的は、ロシアが偶発的にバイデン大統領の訪問地近郊を軍事攻撃しないようにとの安全確保上の必要に基づくものとの説明も確かに可能ですが、目的がそれだけだったとは考えられません。ロシアに対しても何らかのシグナルを送ることに意義があったと見るべきです。

そのシグナルとは、万が一バイデン大統領がネオコン強硬派の工作によって攻撃された場合、攻撃したのはロシアだとするネオコン得意の〝偽旗作戦《にせはた》〟に巻き込まれることがないように、あらかじめロシアに準備を促しておいたとも解釈できます。

外交官だった経験から私が注目するのは片道10時間に及ぶ列車の旅です。なぜ、わざわざ時間がかかる列車を使ってキエフへ移動したのでしょうか。一部ではロシアの攻撃を避けるためだとの解説が行われていますが、これが矛盾することはすでに説明したとおりです。

往復20時間を考えれば、強行日程のため列車内で睡眠など休息をとることはありえたでしょう。

しかし、それだけでは列車にする理由は乏しいと言わざるを得ない。

そこで考えられるのは、車内で停戦交渉を今後どのように進めるかについての予備的会合が行われた可能性です。その場合、ロシアとウクライナの関係者が参加したと考えるのが自然でしょう。

他方、キエフにおいては、両首脳は中心部のミカエル寺院近辺を一緒に歩き、関係の緊密さをアピールしましたが、空襲警報が鳴るというオマケつきでした。空襲警報

ウクライナを電撃訪問し、ゼレンスキー大統領と聖ミカエル黄金ドーム修道院前を歩くバイデン大統領。写真：AP/ アフロ

を聞いていたはずのふたりがまったく気に留めていなかったことからすれば、空襲警報が偽造されたものだったのではという疑問が湧いてきます。首脳会談はバイデン大統領が確かにキエフを訪問したとの事実を対外的にアピールするパフォーマンスにしか見えませんでした。

バイデン大統領のウクライナ電撃訪問を受けて（私の見立てではアメリカの内密の政策転換を受けて）、2月21日に行われたプーチン大統領の教書演説は抑制の利いた内容でした。ロシアのウクライナ侵攻を正当化しましたが、戦果を誇示することや予想される大攻勢に対する言及はなく、アメリカを刺激する発言もなかったのです。

2023年2月21日、年次教書演説を行うウラジーミル・プーチン大統領。
写真：ロイター/アフロ

さらに同日、中国の王毅《おうき》政治局員がモスクワを訪問し、プーチン大統領と会談。その後、中国は12項目のウクライナ戦争停戦案を公表したのです。偶然と言うにはあまりにもタイミングがよすぎるではありませんか。

停戦勢力の優勢を示すランドレポート

アメリカが停戦へ舵を切った背景には、ランド研究所のレポートが絡んでいます。ランド研究所は国防総省と関わりの深いシンクタンクで、国防総省の意向を反映していると見て差し支えありません。

２０２３年1月に出されたレポートでは、「ウクライナ戦争への支援を継続すればするほどアメリカの損害が拡大し、アメリカにとって真の脅威である中国に対抗する軍事力が毀損《きそん》される危険がある」と警告を発したのです。

ゼレンスキー大統領はロシアを完全にウクライナから追い出すと言っていますが、「それは不可能である」と、同レポートは明確に提言しています。ウクライナの領土の一部がロシアの支配下に置かれ続けるのはやむをえない。戦争がエスカレートし、ロシア対NATOの戦争になること、あるいは、核戦争が始まることがアメリカにとって最大のリスクである、と。

そして、ウクライナ戦争が継続すればするほどアメリカの国力の衰退に繋がるので、「早期にこの戦争を終結させることがアメリカの国益にかなう」と結論づけました。

あくまでもアメリカの国益の観点からの分析と謳《うた》っており、表向きはロシアとウクライナの戦争という形を崩してはいませんが、対ウクライナ軍事支援や経済制裁によって実はロシアよりもアメリカの被っている害が大きいことを強調する内容です。

すなわち、事実上ウクライナが敗北していることを認める内容であり、これ以上負け戦に関わることは得策ではないと指摘する冷徹な提言です。

共和党の有力な大統領候補とされるフロリダ州のロン・デサンティス知事も、「ア

2023年5月24日、2024年 米大統領選挙に出馬表明するフロリダ州のロン・デサンティス知事。写真：AP/ アフロ

メリカには多くの重要な国益があるが、ウクライナとロシアの領土紛争にこれ以上巻き込まれることは重要な国益ではない」と回答し、「バイデン政権は〝必要な限り〟この紛争に資金を提供するとして、明確な目標も説明責任もなく、事実上の白紙小切手を切ったが、これはアメリカの喫緊の課題から注意をそらすものだ」とウクライナ戦争からの早期撤退を求めています。

ランドレポートの見解も「アメリカの政策の劇的で一夜にしての転換は、国内でも同盟国にとっても政治的に不可能であり、いずれにせよ賢明ではない」。いきなりの方針変換は無理ということです。ゆえに、その根回しの訪問は電撃である必要があったのです。

このレポートがバイデン政権、とりわけ国防総省にウクライナ戦争停戦へと戦略の転換を促したと見られがちですが、国防総省内で停戦を求める決定が行われたのでランドレポートが出されたと考えるのが合理的でしょう。

なぜなら、レポートが出て1カ月で大きく方向転換することは時間的に見て無理があるからです。おそらく国防総省やCIAと国務省を筆頭とするネオコン側との間で路線闘争が行われ、国防総省やCIA内の停戦派が多数を占めた結果が、今回のバイデン電撃キエフ訪問に結実したのではないかと考えられます。

また、アイゼンハワー・メディアネットワークも2023年3月に入ってニューヨーク・タイムズに〝停戦提言〟の意見広告を掲載しました。広告には、12人のメンバーが署名し、停戦の必要性と交渉プロセスの開始方法について議論しています。アイゼンハワー・メディアネットワークのような軍事専門家の多いシンクタンクが停戦を提言しているのも、水面下で交渉が行われていることを窺わせているのです。

NATO各国の温度差

ドイツの戦車レオパルト2。
写真：AP/ アフロ。

欧州諸国とアメリカ、特にネオコンとではウクライナ戦争に対してスタンスの違いがはっきりしてきました。ＥＵ首脳たちは、本音ではウクライナはロシアとの戦争に勝つことはできず、ＮＡＴＯとの緊密な関係と引き換えに和平交渉を開始すべきだと思っていることでしょう。

戦車供与にもそれがよく表れています。

ドイツ在住の川口マーン惠美さんが『レオパルト２』をめぐるＮＡＴＯ諸国の亀裂を『シュトゥットガルト通信』(「最強戦車「レオパルト２」供与の謎…ドイツの勇断で西側の結束はより強固になるはずだったが」２０２３年2月24日）で詳しく書いています。

川口さんによると、ドイツが供与を求められたレオパルト２は世界最強と評価されるドイツ

レオパルト2を14両ウクライナに供与すると議会演説で発表するオーラフ・ショルツ首相。写真：picture alliance/ アフロ

製のハイテク戦車で、ウクライナは喉から手が出るほど欲しい。当初、ウクライナに戦車供与を早々に決めたNATO諸国は、最後まで渋っていたドイツを一斉に非難していたのに、しぶしぶドイツが供与を決めると、次に見るように、トーンダウンしていったとのことです。

ドイツからすればレオパルト2はレオパルト2A6という最新鋭戦車を指していたのに対し、他のNATO諸国は突然、2A6ではなく、冷戦時代の遺物で各国が相当数在庫を抱える〝2A4〟を出すと言い出したからです。

その結果、最新型であるレオパルト2A6を供与するのがドイツとポルトガルのみとなってしまいました。

しかも、供与する数も当初は2個大隊分で合計90両という計算だったのが、60両に縮小。編成も２Ａ４、２Ａ６の各1個大隊となり、前者は、ポーランドが14両出し、カナダも4両をポーランドに送り、ノルウェーが8両、スペインも4〜6両を出すということで数が揃ったのですが、後者はドイツの14両とポルトガルの3両しか出せず、フィンランドとスウェーデンは断ってきた。

その後、デンマークとオランダは、共同で14両供与することを決めましたが、２Ａ４です。したがって、２Ａ６は17両しかない。

アメリカとイギリスは別口で31両と14両を供与するものの、フランスは自国製の戦車ルクレールは出しません。

依然として２Ａ６は14両不足しており、ドイツのオーラフ・ショルツ首相が周りの国々に供与を呼びかける始末。その代わりとばかりに、ドイツはレオパルト１も１７８両を供与すると約束したのですが、これは第2次世界大戦中に開発された戦車で、実戦でどれだけ役に立つのか怪しいものです。ＮＡＴＯの結束は掛け声とは裏腹にかくも温度差があるのです。

2023年2月17日、第59回ミュンヘン安全保障会議でのエマニュエル・マクロン大統領。
写真：ロイター/アフロ

本音では誰もクリミア半島を取り戻せると信じていないことの証左でしょう。フランスのエマニュエル・マクロン大統領はミュンヘン安全保障会議（2月）にて、モスクワでの政権転覆が起きる話をすべて取り上げませんでした。

ウォール・ストリート・ジャーナルは3月初旬にマクロン大統領とドイツのショルツ首相がエリゼ宮における夕食会で「ゼレンスキー大統領に、モスクワとの和平交渉を視野に入れるよう伝えた」と報じました。

停戦を阻止するもの

2022年11月5日、米ワシントン・ポ

スト紙は「バイデン政権、ウクライナリーダーにロシアとの交渉に前向きになるよう密かに要求」と報じています。

実際、22年11月14日にはトルコのアンカラでバーンズＣＩＡ長官（元駐露大使）とナルイシキン露対外情報庁長官との会談が行われました。

11月18日にはバチカンのフランシスコ法王も、停戦に向けて仲介に入る用意があると表明しています。

おそらくその後も、米露間での停戦をめぐる交渉は断続的に行われてきたと見られます。ニューズウィーク誌によれば、23年2月2日、スイスの新聞『ノイエ・チュルヒャー・ツァイトゥング』が、バイデン大統領がロシアにウクライナ領土の20％を割譲するという秘密の提案をしたことを報じています。この報道に対し米露両政府は否定していますが、停戦に向けて調整していることは間違いありません。

もちろん、この間もネオコン側は何とか戦争を継続拡大すべく、謀略工作を行ってきた可能性があります。

たとえば、11月14日の米露両長官の会談を受けた翌15日に、ポーランドにミサイルが着弾してポーランド人2名が犠牲になりました。

ミサイル着弾現場を視察するポーランドのアンジェイ・ドゥダ大統領。
写真：ロイター/ アフロ

当初このミサイルは「ロシア製である」とゼレンスキー大統領が主張したものの、アメリカとポーランドが即座に否定しました。

結局、ウクライナが発射したミサイルだということが後で判明しましたが、あわや対NATOへと戦線が拡大する事態を招くところでした。

またヌーランド国務次官がウクライナによるクリミア攻撃を画策したとの報道が流れたのも、この謀略の一環と見ると辻褄が合うわけです。

ウクライナ内でのネオコンの工作を見るうえで、欠かせないのはこのヌーランド氏とジョージ・ソロス氏の存在です。2004年のオレンジ革命以降、相次いでウクライナで政変が起きたことにも、このふたりが深く絡んでいました。

親露派のヤヌコーヴィチ首相と欧米派が擁立したユーシチェンコ中央銀行総裁との大統領選で、ヤヌコーヴィチが勝利したと発表されると、「不正選挙だ！」というデモが発生、再選挙が行われた結果、ユーシチェンコが勝利しました。

抗議デモがオレンジ色の衣服や旗に埋め尽くされていたため、オレンジ革命と呼ばれているこのデモを主導したのは、ジョージ・ソロス氏が運営するオープン・ソサエティーというＮＧＯ（非政府組織）でした。ソロス氏は、２０１４年の『マイダン革命』にも深く絡んでいます。

また、マイダン革命当時アメリカの国務次官補だったヌーランドが反政府デモ隊にクッキーを配って歩いている映像や、彼女が駐ウクライナ米国大使のジェフリー・ピアットと、ヤヌコーヴィチを倒した後の新政権にヤツェニュクを当てようと決めた電話会談が、ＹｏｕＴｕｂｅで暴露されたことも周知の事実です。

このとき、反政府デモ隊の中に、『ネオナチ』（右翼の排外主義過激派団体）も参加していたことが判明しています。ネオナチは同じ仲間であるはずのデモ隊に発砲し、流血の惨事を引き起こしました。

2014年2月22日、キエフ中心部。デモ活動参加者の遺体が入った棺が群衆のなかを運ばれていく。写真：AP/ アフロ

それを世界のメディアがヤヌコーヴィチ大統領の治安部隊がデモ隊を殺害したと報じたため、民心は大統領から離れクーデターが成功します。

ヤヌコーヴィチ政権を倒したマイダン革命によって、ウクライナはネオコンとネオナチに乗っ取られ、ロシア語を公用語から外すなど、ロシア系住民に対する迫害が始まります。

その中心的役割を担ったのが、当時ドニプロペトロフスク州知事を務めていたコロモイスキー。ユダヤ系のオリガルヒ（大富豪）である彼がカネにモノを言わせて組織した私兵集団が「アゾフ大隊」です。アゾフ大隊は東部ウクライナのロシア系住民を虐殺し内戦状態に陥ります。

ロシア系住民を保護し、内戦状態を打開しようとしたプーチン大統領が、２０１４年5月にウクライナの大統領に当選したポロシェンコ氏と、ドイツのメルケル首相とフランスのオランド大統領の立ち会いのもと署名したものが、２０１５年2月の「ミンスク合意」です。

これにより、ウクライナ東部での包括的な停戦の実施、親ロシア派武装勢力が占領するウクライナ東部の2地域（ドネツク・ルガンスク州の一部）に対する幅広い自治権を認める〝特別な地位〟の付与などが合意されました。

しかしジョージ・ソロス氏はこの内戦状態を解決するミンスク合意に強硬に反対し破棄を訴えました。さらに欧米に対しウクライナへの大規模な軍事支援まで要求。これらは２０１５年4月1日付のＮＹタイムスへの寄稿で明らかになっています。

実際、ソロスの要求を受けて、２０１６年4月に、ロシアのウクライナ侵攻に備えるとの名目のもと、ＮＡＴＯは4個大隊をエストニア、リトアニア、ラトビア、ポーランドに巡回派遣すると発表。さらに翌17年9月には、アメリカは2個戦車旅団をポーランドに駐留させることを決めたのです。

2018年3月、アメリカはウクライナへの最新対戦車砲の販売を承認。10月には、西部ウクライナでNATOの大規模演習が実施されました。つまり、ロシアを終始挑発してきたのはアメリカでありNATOだということがわかります。

それを裏から支えていたのがソロス氏。ようするにソロス氏は、ウクライナにロシア系住民との戦闘を続けさせようと画策したのです。

なぜでしょうか。それはプーチンにウクライナ侵攻の一撃を撃たせるためです。したがって、ソロス氏は、今回のウクライナ戦争においても、徹底抗戦の姿勢を崩していません。

しかし、プーチン大統領にとってウクライナ侵攻は戦争ではなく〝特別軍事作戦(Special Military Operation)〟にすぎなかったのです。

欧米政府やメディアは、「ウクライナの首都キエフの短期陥落に失敗したのがプーチン大統領の誤算だ」と大々的に報じましたがこれは大間違い。

22年2月24日以降、ロシア軍が攻撃したのはソロス氏が叱咤激励してアメリカやNATOに作らせた軍事基地でした。その中には、生物兵器研究所が含まれています。また、チェルノブイリ原発やザボロジェの原発などが含まれています。

2020年3月14日、イベントで行進するアゾフ大隊。
写真：ロイター/ アフロ

プーチン大統領が本当にキエフ陥落を狙っていたのなら、ミサイルを撃ち込めばいいだけです。

２０２２年５月に開催されたダボス会議では、戦争継続を望むソロス氏と、それに反対するヘンリー・キッシンジャー氏との意見対立が鮮明化しました。ＤＳの分裂が表に出た一例でしょう。

アゾフ大隊壊滅

ウクライナでロシア系住民を弾圧していたアゾフ大隊の壊滅のときが、停戦のチャンスだと私は考えていました。というのも、ソロスの要求に応えたアメリカがウクライナにロシア攻撃の軍事基地を建設したとき、これらの基地を運営していたのが、アゾフ大隊だったからです。実はゼレンスキー大統領にとっても、アゾフ大隊は目障りな存在でした。実際、2019年の大統領選挙時には、アゾフとの決別を公約にして現職のポロシェンコ大統領を大差で破っているのです。

ゼレンスキー氏は大統領就任後アゾフ大隊を自らの指揮下に置こうと努めたものの、拒否されてしまいました。

以降、アゾフ大隊はウクライナ政府の誰も手をつけることができない存在と化していたのです。ゆえに、ゼレンスキーがこの紛争のどさくさを利用して、アゾフ大隊の消滅を図っていた可能性があると私は推察しています。

仲介者トルコの努力を潰したイギリス

ウクライナ戦争の危機を事前に察知し、プーチン大統領とゼレンスキー大統領に対し、開戦前の1月から互いの妥協を懸命に説いていたのが、トルコのタイイップ・エルドアン大統領です。

2023年5月、大統領に再選したレジェップ・タイイップ・エルドアン大統領。
写真：AP/ アフロ

トルコは露土戦争で何度もロシアと戦ってきた歴史を持ち、いまもＮＡＴＯの一角としてロシアと向かい合っています。

反面、トルコはＥＵと同様に、天然ガス約45％、石油約17％、ガソリン約40％と、エネルギーの大半をロシアに依存しているのです。さらに両国間の人の行き来も多く、ロシアからの観光収入が全体の25％を占めています。

一方、ウクライナへもトルコ製ドローン「バイラクタルＴＢ２」を供給し、ロシア、ウクライナ両国にとって利敵行為をしている。独自外交という点では日本もある意味見習うべきことですが、ＮＡＴＯ諸国のなかではアメリカに次ぐ陸軍力を持ち、オスマン帝国という大国意識の強さがなせるわざなのでしょう。

逆に言えば、そのような国でなければ仲裁などできるはずがありません。

またエルドアン大統領はプーチン大統領に対して恩義があることも事実です。いまでこそ忘れられていますが、実は２０１５年11月24日こそ、トルコとロシアの対立から世界が第３次世界大戦の瀬戸際に追い詰められた日でした。

シリアでイスラム国掃討作戦に従事していたロシア軍機が、トルコ空軍機によってシリア上空で撃墜された事件が起きたのです。

「領空侵犯であり、繰り返しの警告を無視したため撃墜した」と説明したトルコに対し、ロシアは領空侵犯を否定しました。このときは、プーチン大統領が裏でネオコンが動いていることを見抜き、トルコのエルドアン大統領を必要以上に追及しなかったため、事なきを得ました。

実際、この事件が反エルドアンの空軍パイロットの仕業であったことが翌年７月の反エルドアン・クーデター未遂事件の際に判明しています。つまり、エルドアンの知らないうちに撃墜事件が起きたのです。トルコとロシアの戦争を策したネオコンの陰謀に他なりません。

今回のウクライナ戦争でも、緒戦の段階でエルドアンは両国の仲裁に入ります。２０２２年3月末の時点で、口頭ベースですが、ウクライナとロシアとの間では停戦に向けての合意が形成されていたと報じられていました。

その条件は以下のとおりです。

①ウクライナはＮＡＴＯに加入しないことを和平条件として提示し、代わりに〝安全保障国〟をつくる。
②その国とロシアの了解なく軍事演習はしない。
③外国軍によるウクライナ軍の基地の不使用。
④安全保障を担保する国の保障はドンバス地方には適用しない。
⑤クリミアに関しては15年間の冷却期間を設ける。

ロシア側もそれを受け入れたうえで、ウクライナのＥＵ加入は認めるというところまで容認・譲歩していたそうです。ウクライナにとって呑めない案ではありません。これを潰したのがイギリスのボリス・ジョンソン首相。なんと彼は3回もキエフを訪

2022年4月9日、ウクライナを電撃訪問するボリス・ジョンソン首相。
提供：Ukrainian Presidential Press Service/ ロイター/ アフロ

問し破棄させたのです。

その事実を渡辺惣樹さんが『ネオコンの残党との最終戦争』（ビジネス社）で詳しく書いています。

ウクライナ交渉団メンバーのひとりであるデニス・キレーエフが2022年2月28日、ベラルーシで行われた交渉に参加した1週間後に射殺されました。ウクライナ情報部にロシアのダブルエージェントだとみなされたからです（タイムズ・オブ・イスラエル紙：2022年3月6日付）。

渡辺さんは「ロシアと何らかの妥協を覚悟した勢力への、ウクライナ政権内部の対ロ強硬派による見せしめ的処刑だ」

と見ていますが、私も同感です。

その結果、ウクライナ交渉団メンバーを怯えさせ、ウクライナ交渉団は妥協案の提示に消極的になりました。ロシアのエージェントだとレッテルを貼られ殺される恐れがあるからです。

ボリス・ジョンソン首相がキエフを突如訪問したのは、キレーエフ暗殺事件のおよそ1カ月後の4月9日。

キエフにもいつミサイルが飛んでくるかもしれないなかで、なぜ彼はキエフを訪問したのか（できたのか）。訪問の狙いは「ゆるぎないウクライナ支援（unwavering support）」をゼレンスキー大統領に直接伝えるためだ」と説明された。

ジョンソンは、ゼレンスキーに対して、「ロシアとの外交関係を断て。プーチンにはとにかく圧力をかけつづけることだ。彼とは交渉できない（してはならない）」と述べたようだ。イギリスの反戦組織「Stop the War Coalition」副議長クリス・ナイハムは、「ジョンソンは外交的解決に反対するが、そんな態度では、戦いは長期化し、多くの人が死ぬことになる」（２０２２年６月６日）とジョンソンを批判した〉（『ネオコンの残党との最終戦争』）

つまり、ゼレンスキーは戦争をやめさせてもらえないのです。アメリカは侵略の犠牲者であるウクライナが勝利するまで武器援助を継続すると明言していますが、その真意はウクライナが滅ぶまでロシアとの戦争を続けさせるということにあるのです。

転換点はノルドストリーム破壊

２０２３年になって、アメリカのメインストリーム・メディアでウクライナの敗北が決定的であることを示唆する報道が出てきたことは先に述べました。

これらはバイデン政権の停戦への政策転換の結果を反映したものと見られます。この政策転換の原因となったのが、２０２２年9月に起こったノルドストリーム・ガスパイプライン爆破の成功だと私は捉えています。

アメリカの著名ジャーナリストであるセイモア・ハーシュ記者はブログ（２０２３年2月8日）において、9月26日のノルドストリーム爆破はバイデン大統領の指示の下に行われたＣＩＡ、米海軍及びノルウェー海軍の共同作戦であったと暴露しました。

米英などによる爆破謀略説は事件直後から流布されていましたが、このタイミング

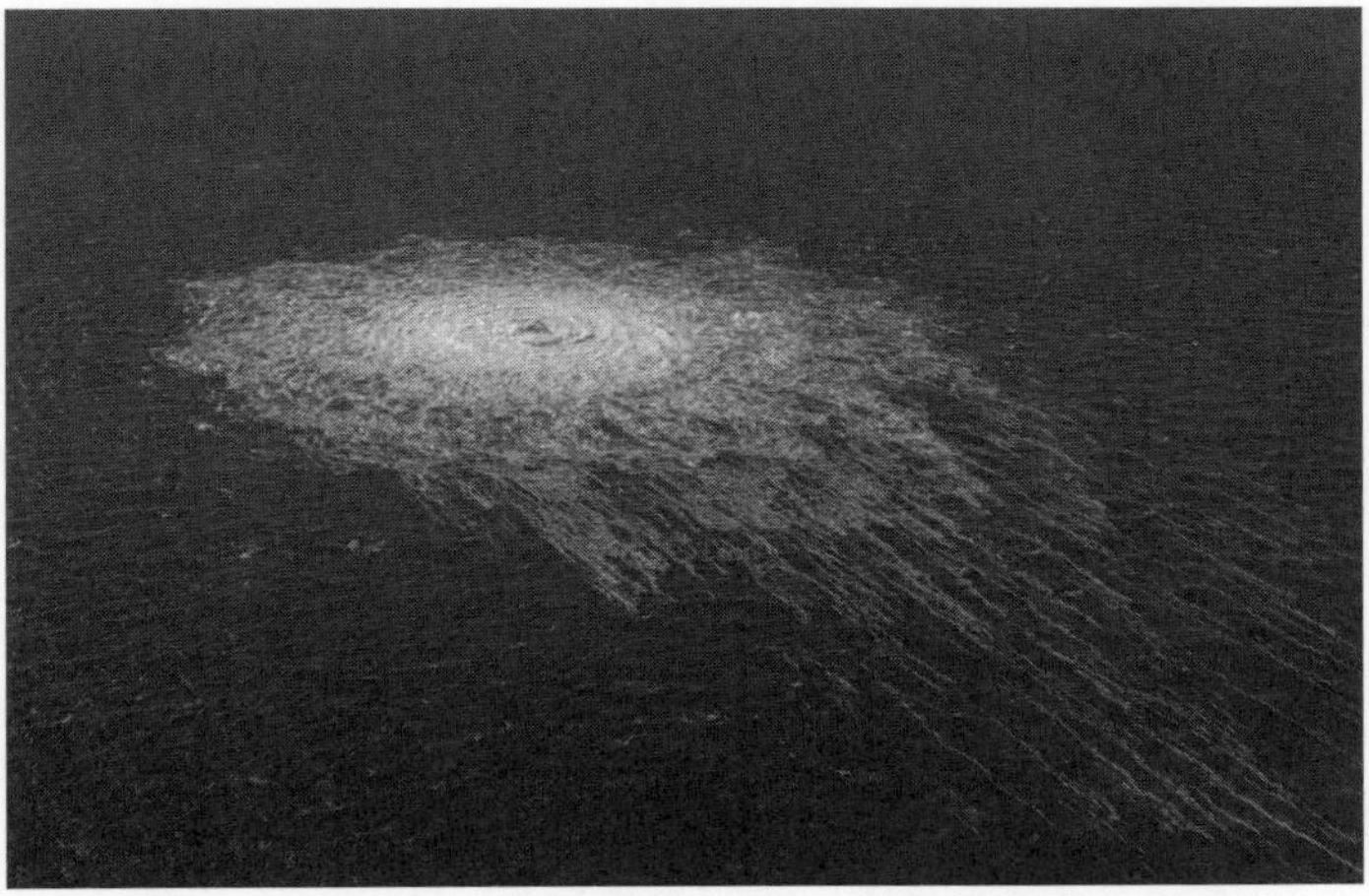

2022年9月27日、ノルドストリーム2の漏洩からバルト海の表面に達したガスの泡。
提供：Danish Defence Command/ ロイター/ アフロ

で暴露されたのは、アメリカ政府の政策転換が行われたので公表されたのだとも考えられます。

ノルドストリーム爆破によって、露独間の緊密な関係を頓挫させ、ＥＵ諸国の対露エネルギー依存度を低下させることに成功しました。２０２１年９月に完成したばかりのノルドストリーム２は、反ロシアのウクライナやポーランドを経由せず海底を通してヨーロッパに天然ガスの長期安定供給を可能にし、欧露がともに待ち望んでいたものです。

思えば、戦争が始まるまえの2月初旬に、バイデン大統領はノルドストリーム爆破を予言する言葉を吐いていました。

アメリカの強硬な態度を知って、ドイツをはじめEU諸国は対米依存度を高めざるを得ず、独自の対露外交が著しく影響を受ける結果になったわけです。

今回のウクライナ戦争に関して、ウクライナは単なるかませ犬にすぎず、ドイツを潰すための対独戦争ではないかと、評している識者さえいるほどです。

ウクライナ戦争を演出したネオコンはロシアの解体を狙っていましたが、穏健派は露欧関係に楔を打ち込むことが狙いだった。アメリカに限らず、ロシアとドイツが結びつくことは欧州諸国にとっても悪夢だからです。

ドイツはビスマルクの時代からロシアとの協調を重視してきました。ロシアがドイツの西側にあるフランスや東側のオーストリアに対抗すると見たのです。

ビスマルクは、１８７３年にドイツ、ロシア、オーストリア・ハンガリー帝国と三帝同盟を結びました。三帝同盟は、１８８１年に三国同盟に拡大され、ドイツの安全保障において重要な役割を果たし、１９１４年まで存続しました。

また、第1次世界大戦後の１９２２年に成立したばかりのソ連とドイツで結ばれた「ラパッロ条約」は欧米に大変な衝撃を与えました。

こうした歴史的経緯からも、ロシアのエネルギーに欧州が依存していることはアメリカにとって頭痛の種でしかありません。自国（アメリカ）のエネルギーにドイツを依存させるのが理想です。

当初ノルドストリームの爆破はポーランドの関与が疑われました。爆破された日の翌日の27日にノルウェーからポーランドに天然ガスを供給するパイプライン「バルティック・パイプ」が開通したからです。タイミングがあまりにもよすぎる。そもそもノルドストリーム1、2という2本のパイプラインはポーランド領を経由しないので、通過料も得られずポーランドにとっては目障りでしかない。

ここで、ポーランドの地政学的な歴史を考察しておくことは、ウクライナ戦争終結後のヨーロッパを予測する上で、意義あることと思います。ポーランドは18世紀から19世紀にかけて、ドイツとロシアによって分割され、独ロ両国はポーランド語を話すことを禁止し、ポーランド文化を抑圧したことから、ポーランドの人々は両国に対して恨みを抱いています。

すでに見てきましたように、ポーランドはナチスドイツとの交渉に一切妥協せず、ヒトラーの侵攻を招き、独ソ不可侵条約付属議定書に従い西半分をソ連に占領されました。第2次世界大戦終了後は共産化され、国民は自由を喪失しました。

東西冷戦終了後は、ポーランドの安全保障の主要な担い手はアメリカとなり、東欧におけるアメリカの出先機関のような国になっているのです。さらに言えば、反露・反独もさることながら、反ウクライナでもあります。

16世紀の後半、ポーランドは当時の強国リトアニアと国家連合を結び、南に位置するウクライナを支配しました（リトアニアはいまでこそバルト三国の一小国にすぎませんが、16世紀から17世紀にかけて、この地域における強国のひとつ）。

このような歴史から、ポーランドには「ウクライナはポーランドの支配圏」との意識が残っていても不思議ではありません。それを考慮すれば、今回ポーランドがウクライナ支援の最前線に立っていることは、単純な善意のみに基づく支援ではないことが理解されるのです。

ポーランドはロシア軍と戦闘を行うＮＡＴＯ義勇軍の約半分（４万人）を提供するだけでなく、ＮＡＴＯ諸国の対ウクライナ軍事支援の最大の経由ルートとして、役割を果たしてきました。さらに、多数のウクライナ避難民の受け入れなどによってウクライナに最大の恩を売っている国なのです。

いずれこの戦争は終わりますが、ポーランドはウクライナに最大の見返りを要求する資格を持っています。ポーランドがこのチャンスを最大限に活用しようと考えていても不思議ではありません。最悪のシナリオとしてウクライナという独立国家が消滅する可能性もゼロではない。もしそうなれば、ドニエプル川を挟んで東がロシア、西がポーランドという新たな地図に書き換えられることもあり得るのです。

もっとも、このような状況をロシアが望んでいるかどうかは不明です。ロシアはＮＡＴＯ加盟国のポーランドと長い国境を接することになりますが、この事態は国境の外に衝地帯を求めるというロシアの伝統的な安全保障観に反するからです。

トラス辞任を読み解く

すでに過去の人となってしまっているトラス前イギリス首相ですが、彼女がなぜ、首相就任からたった44日で電撃的に辞任せざるを得なかったのか、その理由を探ってゆきますと、ウクライナ戦争の裏面が見えてきます。これは、ノルドストリームの爆破以上に深い闇があるのではないかと私は推測しています。

辞任した理由は、インフレ対策として打った大型減税政策が市場に大混乱を招き、与党内での信用も失ったからだと解説されていますが、とうてい信じられません。

そんなことだけで〝史上最短のイギリス首相〟の汚名を着せられるはずがないからです。

トラス氏は〝ロシアの核攻撃〟という偽旗作戦の決行に関わっていたのではないか、というのが私の仮説です。

つまり、実際にはイギリスが使用した核をロシアの仕業に仕立て上げる偽旗作戦をトラス氏に実行せよとDSが迫り、それを断ったため、トラス氏は首相の座から引きずり降ろされたのではないか。

就任後1カ月半にもかかわらずトラス氏を辞めさせなければならない、差し迫った事情があったはずです。辞意表明の翌日、ロシアは米英仏がウクライナでの核兵器使用を準備していると警告しました。米英仏は即座に否定しましたが、なぜトラス氏の辞意表明の直後だったのか、疑問が膨らみます。

アメリカから、イギリスの核をウクライナで使うよう圧力を受け、それを拒否したためトラス氏は辞任せざるを得なかったと考えると辻褄が合います。

トラス氏がまだ外相だった8月に行われた討論会で「必要とあれば核兵器の発射ボ

2022年8月23日、英保守党党首選で演説するエリザベス・トラス外相（当時）。写真：AP/アフロ

タンを押す用意がある」と表明し、物議をかもしていたことも、彼女に白羽の矢が立つ災いになったのかもしれません。

もちろん証拠はありませんが、私が懸念しているのは、いつ「ロシアが核攻撃をした」という偽旗作戦が実行されるかわからないことです。むしろ、英米はプーチン大統領に核を使うよう挑発しているようにさえ見えます。

メディアはしきりにプーチンの核使用を警告しますが、広島・長崎へ原爆投下を行ったのはアメリカであり、そのことを重ねて批判しているのはプーチン大統領であることを日本は忘れてはなりません。

２０２２年10月27日にモスクワで開かれた国際討論フォーラム「バルダイ会議」でもプーチンは広島・長崎への原爆投下について「軍事的にはまったく必要なかった」と述べ、「アメリカは非核保有国に核兵器を使った唯一の国だ」と批判しています。

また、当時の日本にはすでに反撃する力もなかったのに「事実上、一般市民を核攻撃した」と指摘、そのうえで、日本の教科書には「連合国側が原爆を投下したと書いてある」「学校の教科書にさえ（投下したのはアメリカだという）真実が書けない」と主張しています（共同通信）。本来は岸田政権が言わなければならないことを、プーチン大統領に代弁してもらっているかっこうです。

アメリカには〝核兵器を実際に戦争で使用した唯一の国〟という負い目があります。フーバー大統領は、「日本への原爆投下はアメリカを永遠に苛《さいな》むことになろう」と指摘しています（『フーバー回顧録』）。このような負い目があるアメリカが、「アメリカ以外の国に核兵器を使わせたい」と考えたとしても、不思議ではありません。そして、それをロシアの仕業とするキャンペーンを張り、世界の世論を一層反ロシアに誘導することを意図していたのではないでしょうか。タイミング的には民主党を有利にするため米中間選挙前を選んだと見られます。

２０１３年夏にシリアでアサド政権が反体制派の拠点に対し、化学兵器を使用したとして、オバマ大統領はアサド支配地域に対する空爆を宣言しました。

イギリス議会の反対などもあって断念しましたが、この事件もアメリカ側が化学兵器を使用してアサド大統領のせいにしようとしたとの疑念が払拭されていません。隙を縫って、シリアにおける化学兵器を国連が管理するよう取りまとめたのがプーチン大統領でした。

これによってオバマ大統領は世界の指導者としての権威を失い、プーチン大統領が世界のリーダーに取って代わったのです。それゆえに、２０１３年の暮れからウクライナで反露デモが激化していったわけです。この事実を考えれば、２０１４年2月に親露派のヤヌコビッチ大統領を暴力デモで追放したマイダン革命が、実はロシアを敵視するマイダン・クーデターであったことが鮮明になりますね。

加速するバイデン降ろし

２０２３年3月30日、米ニューヨーク州の大陪審は共和党のドナルド・トランプ前大統領を起訴すると決めました。この〝トランプ起訴〟はまさに堕落した民主主義の象徴例でしょう。司法界をＤＳが牛耳っているから、こんなことが可能なのです。

逮捕することも牢屋にぶち込むこともできるわけですが、これはロシア革命のときに起こったレーニンのボルシェビキ体制と同じです。当時は秘密警察のチェーカーが

2023年4月4日、会見を行うアルヴィン・ブラッグ検事。
写真：AP/ アフロ

政敵を捕まえたり、利用できるものは犯罪者でも野放しにしました。いまはそれをＦＢＩが行っている。そこまで司法が堕落しているのです。

裏を返せば、国を独裁化する第一歩となる。これは人民戦線の歴史を見れば明らかであり、共産主義者のやり方です。彼らはまず警察を握る。日本ならば法相のポストを狙うでしょう。つまり、アメリカは共産主義国家へ移行する過程にあるのです。

裏で糸を引いているのは、またしてもジョージ・ソロス氏であり、マンハッタン地区のアルビン・ブラッグ検事は彼の子飼いです。

とは言え、ＤＳのもくろみとは裏腹に、

トランプ氏の支持率はうなぎ上りです。つまり、ＤＳの強硬派の意図どおりに世の中が動かなくなってきている。

２０２３年になってバイデン大統領を失墜させる〝バイデン降ろし〟があからさまになっているのも、ＤＳの分裂を示すものです。バイデン大統領がオバマ政権の副大統領時代に入手した機密文書を、自身の個人事務所などに違法に保持していたというスキャンダルが１月９日に突如暴露されました。

続く12日には、デラウェア州の自宅の車庫などから新たに複数の機密文書が発見され、司法省も動き出しました。

22年８月、ＦＢＩはトランプ前大統領のフロリダの私邸（マール・ア・ラーゴ）を国家機密文書不法所持の疑惑で強制捜査しました。後に文書はすでに機密解除されていたことが判明し、ＦＢＩの不法捜査が明らかになりましたが、今度はバイデン大統領がそのターゲットにされているのです。

いわゆる〝ガレージゲート事件〟です。そもそも、バイデンが機密文書を自宅に保管している事実はＦＢＩなどが以前から把握していたはずで、なぜこれがいま明るみに出たのか。

FOXニュースなど一部のメディアはバイデン潰しだと報じています。バイデン大統領がFBIなど司法当局から見放されたことを意味するからです。

トランプ氏は大統領就任以来、民主党寄りFBIの捜査にずっと悩まされてきました。トランプ邸強制捜査以前にも、2016年の大統領選挙の際にロシアと共謀したとするロシア疑惑（特別検察官による捜査が行われたが最終的に証拠なしと報告）、対ウクライナ経済援助をバイデン父子の天然ガス企業ブリスマに関わる汚職捜査とリンクさせたのは大統領権限の濫用であるとする疑惑（弾劾裁判で無罪）、21年1月6日の議会襲撃を指示したとの疑惑（退任後の弾劾裁判で無罪）など。

DSの代理人としてFBIがトランプ大統領を追及してきたことに鑑みると、ガレージゲート事件はバイデン大統領がDSの支持を失ったことを示す証左と言えるのです。ウクライナ支援をやめるべきだとのランドレポートも、表向きの責任者であるバイデン大統領のウクライナ支援政策の変更を求めるものであるだけに、いよいよ抜き差しならぬ事態に追い詰められてきたと推察できます。

おそらくアメリカの情報機関がリークしたものと思われますが、私は組織全体というよりは、そのなかの愛国的な勢力によるリークではないかと見ています。

2024年大統領選挙への出馬を表明したバイデン大統領。
写真：ZUMA Press/ アフロ

ウクライナ軍事支援の機密文書が次々とリークされていることにバイデン大統領は怒りを表明していますが、これも政権をグリップできていない証しです。ネットに出回ったその数は地図や図表、写真など約１００点にのぼるといいます。そのなかには、限られた資源を、民間人や重要インフラ、前線部隊を守るために配分しているゆえ、ウクライナの防空能力は低下しているとの厳しい分析もあります。

マサチューセッツ州の空軍州兵ジャック・テシェイラが、機密文書をリークしたとして逮捕されました。21歳の彼が〝機密情報を扱うことができるアクセス権限を持っていた〟とされていますが、このような政権側の説明を信じる人は少ないでしょう。

２０２３年４月25日にバイデン大統領は２０２４年に行われる大統領選に再出馬することを表明しました。２期目を迎える頃には82歳というバイデン氏の年齢への懸念は根強く、約70パーセントが不安視しているとの世論調査も出るほどです。

このようなバイデン不利な情勢にもかかわらず、バイデン以外の有力な候補が名乗りを上げない事実に、ＤＳの戦略を見ることができます。つまり、ＤＳにとって民主党の候補者は誰でもよいわけです。前回を上回る不正選挙を行う腹積もりでしょう。どんな不正になるかといいますと、選挙が行われない可能性が否定できないのです。この方法しか、トランプに勝つやり方はないでしょう。

別のシナリオは、ネオコンであるロン・デサンテス（フロリダ州知事）やＲＩＮＯ（= Republican In Name Only／名ばかりの共和党議員）であるグレン・ヤンキン（バージニア州知事）などを共和党候補に仕立て上げて、ＤＳ派の大統領候補同士の大統領選挙を演出する可能性です。

バイデン降ろしの動きとしては副大統領が代わるかどうかも注目です。カマラ・ハリス副大統領と交代して、選挙を経ずに新副大統領に就任した人物が、バイデン大統領の退任後に大統領の席に就くケースがあるからです。ニクソン大統領辞任後のフォード副大統領を思い浮かべてください。ＤＳがアメリカ政治を掌握している限り、アメリカに民主主義が戻ることはないと断言できます。

第4章

200年にわたるDSとロシアの戦い

パフォーマンスとしてのウクライナ訪問

これまでの語りかけで皆さんは現在のウクライナ戦争を理解するためには、ウクライナを巡る日々の情報だけを追っていても、本質が見えてこないことがおわかりになっていることと思います。そこで、念のため3月20日の岸田総理のウクライナ電撃訪問を振り返ってみましょう。

単純ですが本質的な疑問は、「何故、電撃訪問だったのか？」。これに的確に答えられる人がほとんどいないというのが言論界の現実です。

G7の首脳として最後にウクライナを訪問した岸田首相にとっては、単なるウクライナ訪問では世界に与えるインパクトが少ないため、注目を引くために〝電撃訪問〟に偽装する必要があったのだと考えられます。

ウクライナを支援しているとはいえ、G7広島サミットの議長国とはいえ、武器援助ができない日本の首相として、この時期にわざわざウクライナを訪問しなければならない理由を合理的に説明できません。

そこで、「戦争中のウクライナを生命の危険をも顧みず秘密裏に訪問して、ゼレン

2023年3月21日、岸田首相がウクライナを電撃訪問。
提供：Ukrainian Presidential Press Office/AP/ アフロ

スキー大統領を激励した」という外部向けのパフォーマンスが必要だったのです。

日本の外務省が発表した訪問日程によると、岸田首相のキエフ滞在（現地時間）は概ね以下のとおりでした。

２０２３年3月21日午後２時から40分、キエフ郊外のブチャで虐殺犠牲者教会への献花。

３時20分から30分、キエフ市内の戦死者慰霊記念碑への献花。

３時50分から７時50分まで、ゼレンスキー大統領との首脳会談や共同記者会見を行い、ワーキングディナーまでこなしたうえで共同声明を発表。

戦時下であるはずのウクライナ訪問にも

かかわらず、平時の訪問と変わらない内容であったと言わざるをえません。

ウクライナでは東部ドネツク州で局地的な戦闘が散発的に発生しているとはいえ、このような〝のんびりした訪問日程〟からもロシアとの戦争は概ね終わっていることが裏付けされます。

首脳会談の全体像が明らかになることは当面考えられませんが、共同声明や共同記者会見の要旨を再確認してみましょう。

【対ロシア】

●両首脳はロシアによる違法で不当な侵略を最も強い言葉で非難する。ウクライナへの侵略は欧州・大西洋地域のみならず、インド太平洋地域やそれ以外の地域における安全、平和および安定に対する直接的な脅威となっている。力による領土取得や国境を変更しようとする一方的な試みは容認できない。

●ロシアは直ちに敵対行為を停止し、ウクライナ全土からすべての軍と装備を即時かつ無条件に撤退させなければならない。対ロシア制裁の維持強化が不可欠だ。第三国が制裁措置を回避し、損なわないようにすることに期待する。

●戦争犯罪やその他の残虐行為の不処罰はあってはならない。国際法に従って責任を有するすべての者の責任を追及することへのコミットメント（関与）を強調する。

●ロシアの核兵器使用の威嚇は国際社会の平和と安全に対する深刻かつ容認できない脅威だ。77年間に及ぶ核兵器不使用の記録をロシアが破ることはあってはならない。

●ロシアがウクライナ南部ザポロジエ原発を引き続き占拠し軍事化していることに最も重大な懸念を表明。この状況は、原発敷地からロシアの部隊、装備を完全に撤退させることによってのみ解決できる。

【日本の支援】

●ゼレンスキー氏は、継続的な支援に対する日本への感謝の意を表明。支援が、ウクライナの公正かつ永続的な平和の回復のために戦う人々を励ましている。

【東・南シナ海情勢】

●両首脳は、欧州・大西洋とインド太平洋の安全保障の不可分性を認識。東・南シナ海情勢への深刻な懸念を表明し、力または威圧による一方的な現状変更の試みに強く反対する。台湾海峡の平和と安定の重要性を強調し、両岸問題の平和的解決を促す。

いかがでしょうか？

「ロシアは直ちに敵対行為を停止し、ウクライナ全土からすべての軍と装備を即時かつ無条件に撤退させなければならない」とはまるでネオコンと同じ強硬な意見です。おそらく外務省が事前に準備していたのでしょう。あとは古証文《ふるしょうもん》のごとき新味のない内容です。

では、岸田首相のウクライナ訪問はまったく意味のない税金の無駄使いだったのでしょうか。そうではありません。実は、バイデン大統領と岸田総理のふたりのウクライナ訪問は底流で糸が繋がっている。もっと言えば、バイデン大統領が蒔いた種を岸田総理は刈り取りに行かされただけで、決して自らのイニシアチブで行ったのではありません。

いまだ表には表れていませんが、停戦を通告したバイデン大統領、停戦後の復興支援を約束した岸田首相という役割分担が見えてきます。岸田訪問によってバイデン訪問の趣旨が完結したというわけです。バイデン政権からすれば、ウクライナ停戦が実現するためには、日本が停戦後の復興支援を黙って引き受けてくれることが必要だったわけです。

米メディアが日本の外交を持ち上げる妙

そもそも秘密保持が事実上存在しない永田町界隈で、ここまで完璧に訪問予定が漏れなかったことに、私はかえって何か隠された事情があるのではないかとの疑いを持ちました。この疑いを裏書きするかのように、ウクライナ訪問が発表されても、野党やメディアはおろか、ネットからも批判の声が上がらなかったのです。

ということは、従来の永田町の掟を超えた強大な力が働いていたと容易に想像できます。この強大な力とは、言うまでもなくアメリカのバイデン政権の圧力です。もちろんバイデン大統領の個人的指導力でないことはいうまでもありません。バイデン政権を裏から牛耳っているDSの意思によってすべてが計画、実行された結果と見ることができます。

残念ですが、日本の総理であるはずの岸田氏はDS側に完全に取り込まれてしまったと言っていいでしょう。現にアメリカのメディアが電撃訪問した岸田総理を持ち上げる記事を書いています。まるで子供の成長を喜ぶような姿勢で日本を評価しました。米メディアが日本の外交をこれほど持ち上げたことなど、私の外交官生活40年を振り返ってもついぞなかったことです。

また、4月15日に岸田総理の遊説先で起きた爆発事件を受け、フランス外務省は「岸田首相に対する全面的な支持を表明する」との声明を発表しましたが、これも異例です。このような傍証からも岸田総理の立場を窺うことができます。

4月24日から25日、フロリダ州のデサンティス知事が、27日にはバージニア州のヤンキン知事が相次いで訪日し、岸田首相と会談しました。DSの意を受けて日本に派遣されたエマニュエル駐日大使のアレンジによるものと考えられますが、反トランプを画策するDS側の動きと見てまず間違いありません。

ヤンキン氏やデサンティス氏が共和党の知事だからといって楽観してはなりません。デサンティス知事はブッシュ家を後ろ盾とするネオコンであり、ヤンキン氏はRINO（名ばかりの共和党員）であることがわかっています。反トランプ派の大統領を誕生させる工作の一環として、異例の知事連続訪日を行ったと見ていいでしょう。

200年スパンで見なければわからないウクライナ戦争

ウクライナ戦争の本質がどのような戦いであるかを本当に理解するためには、ここ200年の歴史を俯瞰しなければ見えてこない、という共通認識で討論をしたのが、渡辺惣樹氏との共著である『謀略と捏造の二〇〇年戦争』（徳間書店）です。

ウクライナ戦争の直接的な理由としては、NATOの東方拡大やウクライナ東部四州で弾圧されていたロシア系住民の保護が挙げられますが、歴史的にもっと深く大きな対立があります。

メディアが報道しているようなプーチンの野心でもなければ乱心でもない。プーチン狂気説といった宣伝工作もまた歴史の繰り返しにすぎない、ということです。

少々難しい内容ですが、この共著を読んでいただければ、ウクライナ戦争の本質がフランス革命以降の〝国際金融勢力vsロシアの200年戦争〟であることが一冊で理解することができ、その行く末がどうなるかも合理的に推測できるようになります。

岸田総理や日本のメディアが、今日の世界政治を動かす200年戦争のことなど思いもよらない言動をしているかをより明らかにするために、駆け足になりますが、2

００年戦争を俯瞰してみましょう。

というのも、私が岸田総理を残念に思う半面、志半ばで凶弾に斃《たお》れた安倍元総理を評価するのは、この戦争観に対する見解に違いがあると見ているからです。

逆に言えば、日本の戦後政治家で、戦後レジームからの脱却を本気で成し遂げようとしたのは安倍元総理ただひとりであり、岸田総理をはじめ日本の政治家はそのことを理解していないということです。

２００年戦争における3つの転換点

国際金融勢力vsロシアの２００年戦争の大きな転換点は３つあります。

第一はウィーン会議、第二に、アメリカ南北戦争、第三にロシア革命です。そしてこれらは一本の線でまっすぐウクライナ戦争に結ばれているというのが、大きな見取り図です。

まずはウィーン会議（１８１４年9月～15年6月）。各国の思惑により、話し合いが遅々として進まないことから「会議は踊る、されど進まず」と風刺されたというの

ウィーン会議「会議は踊る、されど進まず」風刺画。
写真：アフロ

は、歴史の授業で習いました。しかし、ここからの解説は歴史教科書に出てこないエピソードの連続です。

フランス革命とナポレオン戦争で大混乱に陥ったヨーロッパで、各国が後始末について話し合うために集まった会議とされていますが、実質はイギリスのロバート・スチュアート外相（カースルレー子爵）、ロシア帝国のアレクサンドル1世、プロイセン王国フリードリッヒ・ウィルヘルム3世、オーストリア帝国のクレメンス・フォン・メッテルニヒ外相、敗戦国フランスのシャルル＝モーリス・ド・タレーラン＝ペリゴール外相による5カ国の話し合いです。

ここで私が注目したいのは、ロシア皇帝ア

レクサンドル1世（1777～1825）です。1815年、戦後秩序の指導者を自任していたアレクサンドル1世は、キリスト教国による神聖同盟を提唱します。

この神聖同盟はいわばキリスト教徒による国際連盟であり、アレクサンドル1世の呼びかけにオーストリアとプロイセンが応じました。

敬虔《けいけん》なロシア正教徒であるアレクサンドル1世は、ヨーロッパを戦乱に巻き込んだ諸悪の根源が国家の反宗教性にあると見ていました。

ヨーロッパの支配者はキリスト教の紐帯によって国家間および国民との信頼関係を構築すべきであるとするのが、アレクサンドル1世の主張であり、このような紐帯《ちゅうたい》こそヨーロッパの平和を保障するものと考えたのです。

一方、このアレクサンドル1世のロシアに対して嫌悪感を示したのが、ウィーン会議の陰の主役であるロスチャイルド家です。

なぜなら、彼らはナポレオン戦争において各国政府に戦争資金を貸し付けることにより、莫大な利益を得たからです。ナポレオン戦争の真の勝利者はロスチャイルドを筆頭にしたユダヤ系国際金融勢力と言っていいほどでした。

たとえば、イギリスのネイサン・ロスチャイルド（1777～1836）はワーテルローの戦いでウェリントン軍がナポレオン軍に勝利したニュースをいち早く入手し、巧みな演出によって一夜にして巨万の富を築きました。

そのやり方は、現在のわれわれにも参考になりますので、簡単に説明します。

当時の通信事情からイギリスからはるか離れたベルギーでどちらが勝ったかをいち早く知ることは、至難の業でしたが、ネイサンはあらゆる手段を講じてウェリントン勝利の事実を掴みました。

そこで、彼は株取引所に出かけ沈痛な面持ちで手持ちのイギリス公債を全部売りに出したのです。これを見て、イギリスが負けたとして、われもわれもとイギリス公債が売りに出され、紙くず同然になりました。そこで、ネイサンはこの紙くずを買い占めたのです。そこへウェリントン勝利の報が入り、公債は暴騰したのです。ネイサンは一夜にしてヨーロッパ一の富豪になったのです。

もともとキリスト教徒は金融業を禁じていたため、もっぱらそれを手掛けていたのがユダヤ人たちでした。彼らは金融業を牛耳り、王権に貸し付けてはその利ザヤで稼いでいたのです。戦争をするためには資金が必要で、王権と国際金融家は互いに依存しあう関係となっていましたが、フランス革命を機に彼らの力は拡大したのです。

ロスチャイルド家はフランスに代わって世界の金融市場の覇者となったイギリスをコントロールする力を持つまでになり、ヨーロッパにはただ一つの権力しか存在しない（ウエルナー・ゾンバルト）と言われるほどの金融力によってヨーロッパ諸国の支配に乗り出します。彼らはどうやって支配しようとしたのか。それは各国に自分たちの息のかかった民間の中央銀行を設立することでした。

各国政府に借金を負わせてその見返りに通貨の発行権を得て、通貨・紙幣からその製造コストを控除した分の発行利益である通貨発行益（シニョリッジ）で儲けるという仕組みを構築したのです。この仕組みは、現在に至るも巨大な力を発揮しているわけです。

革命の正体

ここで、国際金融家の儲けの仕組みを整理してみましょう。

①戦争により（あるいは戦争を起こすことにより）戦争当事国に高金利で貸し付ける。

②勝敗の趨勢の情報を誰よりも早く得ることにより、あるいは情報をコントロール

することにより市場で儲ける。

③各国に彼らの中央銀行＝通貨発行権を獲得し、政府に借金を負わせることにより通貨発行益を得る。

この3つの仕組みです。中央銀行とは、〝銀行の銀行〟であると教科書で教えられてきましたが、その実体は世界のマネーを民間人が支配するためのシステムです。

マイヤー・アムシェル・ロスチャイルドが「通貨の発行権さえ自分に認めてくれれば、法律は誰がつくろうと関係ない」と豪語したという有名な話がありますが、それほどこの利権は絶大なのです。これは現代にも通じる原理で、あのキッシンジャーも「金（マネー）を支配する者は、全世界を支配する」と認めています。

実際、ユダヤ系国際金融勢力はイングランド銀行をはじめとしてヨーロッパ各国に中央銀行をつくっていきました。

ところが、彼らの思惑の前に立ちはだかったのが、アレクサンドル1世だったのです。彼はロシアに中央銀行をつくることを拒否しました。

それだけではありません。国際金融勢力にとってアレクサンドル1世が目障りだったのは、神聖同盟の存在です。なぜなら、この同盟によりユダヤ教を敵視するキリスト教国の団結が高まることを恐れたからです。亡国の民であるユダヤ人たちにとって、団結力の強い国家があると、その国家体制により経済活動を封じられる可能性があるし、ナチスドイツのように弾圧の対象にもなりかねません。

ゆえに彼らは国家の力を弱めるための政策＝グローバリズムを当時からとっていたのです。先ほど金融、つまりカネによる儲けの仕組みを解説しましたが、これにヒトとモノの移動の自由＝国家の市場化が加わるということです。

アレクサンドル1世は、おそらく彼らの逆鱗《げきりん》に触れたのでしょう、ウィーン会議から10年後の1825年に不審死を遂げています。

国際金融勢力が国家を弱体化させるためにとった方法が革命です。

フランス革命からウィーン会議にかけて、それまで都市のユダヤ人居住区であるゲットーに押し込められていたユダヤ人が解放され、大手を振って街中に出ることができるようになりました。それはユダヤ人全体がヨーロッパ人と対等になったことを意味しました。

そのため、高い能力を持つユダヤ人たちは政府の閣僚や役人、教育者、企業経営者になり、社会的影響力を増すようになりました。このような動きと連動して、都市の貧しいユダヤ人たちは次々にヨーロッパ各地で革命を起こします。革命を輸出することにより、国家権力を弱めたのです。

1848年にユダヤ系ドイツ人であるカール・マルクス（1818～83）がエンゲルスと共同で『共産党宣言』を出版したのもその流れのなかにあります。世界を資本家と労働者のふたつの階級に単純化して、「労働者が搾取《さくしゅ》されているのが資本主義である」と、労働者の国家への憎悪を煽《あお》った。全世界の労働者の団結を叫び、階級闘争によって国家権力を打倒しようとしたのです。

マルクスの共産主義研究に資金援助をしたのは、ロスチャイルド家です。その一方で、彼らは共産主義と対立する思想研究にも援助を惜しみませんでした。

ここからもわかるように、彼らは思想やイデオロギーによる対立を煽るために、言わば分割統治を行ったのです。言うまでもなく国家を弱めるためです。

リンカーンとアレクサンドル2世が共闘した南北戦争

200年戦争においてウィーン会議の次に節目となるのが、アメリカの南北戦争です。南北戦争において、南部にイギリスとフランスが加担していたことは周知のことですが、北軍側のリンカーン大統領にロシアが手を差し伸べていたことは意外と知られていません。

歴史教科書では南北戦争は奴隷解放をめぐる北部と南部の戦いだと説明されます。しかし、奴隷解放が目的でなかったのは、それを謳ったとされるリンカーン大統領自身が、連邦制の維持のためには奴隷制度を認めてもよいと考えていたことからも明らかです。

南北戦争は工業地帯である北部と、農業地帯である南部の経済状況の違いによる軋轢を発端に始まりました。南部は綿花などをイギリスに輸出して綿製品や工業製品を輸入していたのですが、この貿易＝モノの移動に、ロスチャイルドなどの金融資本家たちが絡んでいました。彼らは通信と馬車輸送のネットワークをつくり、西ヨーロッパ主要都市を繋ぐ一大貿易網を構築していたのです。

しかし、工業化が進んだ北部は南部に自分たちがつくった高価格の工業製品を買わせたかった。

ここにイギリスがつけ込みます。イギリスは南部からの綿花輸入を禁止し、不満を持った南部に対し、連邦から離脱して独立国となるよう扇動工作を開始。その功あって、1860年にサウス・カロライナ州の離脱を皮切りに、7州による南部連合が成立しました。

イギリスの金融資本家からすれば、本国をしのぐ大国になりかねないアメリカ合衆国は分裂させておきたい。同時に、かつてジャクソン大統領の拒否権により期限切れで存在していなかった中央銀行をアメリカに復活させたい、という野心もありました。

南北戦争が始まると、戦費の調達に苦労したリンカーン大統領の足元を見るように、ロスチャイルド家は36％もの貸付金利を要求しました。

それを断ったリンカーン大統領は、1862年、連邦政府自らがアメリカ国家の信用のみで紙幣を発行することを決めます。そのアメリカドルは紙幣の裏面が緑色に印刷されていたことから〝グリーンバック〟と通称されますが、デザインが変わったとはいえいまでもそう呼ばれています。

このように政府自身が通貨を発行することは可能なのです。確かに裏付けがないまま紙幣を大量に発行すればインフレになる恐れはありますが（一般には中央銀行の必要性はそうならないようにするためと説明されます）、担保となるものや国力に信用があれば十分可能なことなのです。

しかし金融資本家から見れば、自分たち民間銀行が発行する通貨と違って、通貨発行の際に政府は債務を負わずに済む、これは許しがたいことでした。実際、その3年後にリンカーン大統領は暗殺されてしまうのです。

実はそれに先立ち、民間ではなく国立の中央銀行であるロシア帝国国立銀行を設立（1860）したのが、アレクサンドル2世（1818～81）です。不審死を遂げたあのアレクサンドル1世の甥にあたり、英仏が支援する南部に苦慮していたリンカーン大統領に援助の手を差し伸べた人物です。

アレクサンドル2世は英仏両国が南軍を支援するならば、それをロシアに対する宣戦布告とみなして、北軍側について参戦すると警告。実際にロシア艦隊をサンフランシスコ港とニューヨーク港に派遣しました。当然、アレクサンドル2世は国際金融資本家たちを敵に回すことに。

ロシアの革命主義者たちから標的にされたアレクサンドル2世は、1866年以降数回にわたる暗殺未遂事件に遭い、1881年に首都サンクトペテルブルクで社会主義革命を目指す人民主義者（ナロードニキ）に暗殺されました。その背後には国際金融家がいたのは容易に想像できます。

かくして、国際金融資本と真正面から戦い続けた3人が殺されたのですが、これを単なる偶然の重なりと捉えていいのでしょうか。

ジュイッシュ・レボルーション

当時最大のユダヤ人人口を抱えていたのはロシアです。ユダヤ人たちは商才に物を言わせ愚直なロシア農民を搾取しました。怒った農民たちがユダヤ人たちを襲ったのが「ポグロム（ユダヤ人虐殺）」で、ユダヤ人たちのロシアに対する恨みが積もることになってしまいました。この災厄の元凶をロシアの帝政にあると見たユダヤ人たちは、社会主義革命によってそれを転覆しようとします。これが20世紀の世界史的大事件である「ロシア革命」につながっていくのです。

したがって、ロシア革命の正体は、ユダヤ革命なのです。

つまり、ロシア革命とはロシアの少数民族ユダヤ人を解放するために、国外に亡命していたユダヤ人が、ロンドン・シティやニューヨークのユダヤ系国際金融勢力の支援を受けて起こした革命と解釈できます。

イギリスの高名な知識人であるヒレア・ベロックも著書『The Jews』の中で、ロシア革命は〝ジュイッシュ・レボルーション〟であると明言しています（渡部昇一氏との共著『日本の敵』飛鳥新社）。

日本の歴史教育では教えられていませんが、当時のイギリスやヨーロッパ諸国では、ロシア革命がユダヤ革命であったことは常識でした。というよりも、〝市民の革命〟は後付けで、そもそもユダヤ人を解放するための革命だったのです。この真相が理解できていなければ、〝革命と戦争の世紀〟であった20世紀の総括はできないのです。

第2章で民主主義の正体について述べましたが、共産主義の正体も端的に補足しましょう。左翼リベラルが唱えるような労働者を解放する人道主義思想でもなければ、資本主義の崩壊ののちに起こる歴史の必然でもありません。

共産主義とは、国の資源と大衆を効率よく搾取管理する一握りのエリート支配層のための思想であり、独裁政治のための政治イデオロギーです。

１９１７年の11月革命によってウラジーミル・レーニン（１８７０～１９２４）たちのボルシェビキが権力を握りましたが、選挙ではなく、武装闘争によって権力を奪取したのです。

ボルシェビキ革命政権指導部の8割がユダヤ人によって占められていたことからも、ユダヤ革命であることがわかります。

メンシェビキに属していたレフ・トロツキー（1879〜1940）は、アメリカ在住のユダヤ人を引き連れアメリカ政府のパスポートによってロシアに入国し、革命に従事しました。トロツキーは資本の私有を禁じる共産主義の理想を盾に、ロシア人から金（ゴールド）を取り上げ、革命に資金援助をした国際金融家たちへの返済に回しました。国際金融家にとって革命はビジネス・チャンスなのです。

ポグロムを行ったロシア人に対する猛烈な復讐も、この革命の象徴的な一面です。皇帝ニコライ2世（1868〜1918）一家は惨殺され、何百万というロシア人がロシア人であるという理由だけで反革命の烙印《らくいん》を押されて銃殺されていきました。

ノーベル文学賞を受賞したアレクサンドル・ソルジェニツィンは著書『収容所群島』の中で、収容所の管理者であるユダヤ人のロシア人への弾圧ぶりを描いています。

ロシア革命後、ソ連は国際金融資本の軍門に降ることになりました。これにより国立の中央銀行は、事実上は国際金融資本たちの支配下となったのです。

100%民間の中央銀行をつくるために選ばれた大統領

一方、アメリカでも1913年12月、ジャクソンとリンカーンの両大統領が一身を賭して拒んでいた、中央銀行である連邦準備制度がウッドロー・ウィルソン大統領の登場により設立されてしまいます。

連邦準備制度理事会（FRB）が統括する連邦準備制度は名称こそ政府機関であることを思わせますが、100%民間の中央銀行で、ロスチャイルド家やロックフェラー家などの国際金融資本が株主です。ウィルソン大統領を誕生させた勢力こそが彼らだったのです。

アメリカ政治ではキングメーカーの意向を無視した大統領選びは決して起こりません。アメリカでは「大統領になるよりも大統領候補になるほうが難しい」というジョークがあるほどです。

大統領候補は共和党、民主党の予備選によって選ばれますが、両党の大統領候補を誰にするかを最終的に決めるのはニューヨークの国際金融資本家たちで、このハードルが一番高いという意味です。カネがかかる予備選挙を戦うための資金集めと、メディアによるスクリーニングをクリアしなければ、まず生き残れません。

すなわち、資金とメディアを支配している勢力が大統領候補選出に決定的影響力を有しているということです。そのため、資金とメディアを握るキングメーカーのお眼鏡にかなうことが重要となる。基本的に本番に見える大統領選は、国際金融資本家からすればどちらが当選してもいいのです。

ウィルソンがロシア革命を礼賛していた理由は、彼の周囲を固めていた側近たちがみな社会主義者だったからです。たとえばウィルソン大統領が第2の自分とまで呼んで信頼していたエドワード・マンデル・ハウス（ハウス大佐）は、一介のユダヤ系民間人にすぎないのにホワイトハウス内に執務室を与えられていました。ウィルソン大統領の側近中の側近である補佐官だったからです。

このように、議会の承認を必要としない、いわば令外官がアメリカ大統領に最も影響を与える地位に就くことができるのです（ちなみに、いま駐日アメリカ大使を務めているラーム・エマニュエル氏もオバマ大統領の首席補佐官）。

プリンストン大学総長を務めた後、ニュージャージー州知事になっていたウィルソンに国際金融資本家たちが白羽の矢を立てたのは、おそらく金融政策に無知だったからでしょう。彼は100%民間の中央銀行の重大性に気づかなかった。

しかし、このときから、アメリカは完全に国際金融資本家たちの軍門に降ったのです。ウィーン会議からおよそ100年を経て、ユダヤ人が主導するロシア革命とアメリカ中央銀行の設立が、ほぼ同時期に起こったことは注目すべきことでしょう。つまり、国際金融資本家たちは、ついにアメリカとロシアの支配権を手に入れたのです。

第1次世界大戦は、このアメリカとロシアの事件に密接に絡んでいます。なぜなら、アメリカが第1次世界大戦に参戦するということは、金融的基盤が整ったことを意味するからです。

もちろん、借金することに変わりはありませんが、外国で戦費を調達するのではなく、FRBから借りることでそれが可能になったのです。ここで注目すべきなのは、FRBから借りるということは、FRBの株主たる国際銀行（多くは外国の銀行）から借りるのと同じこと。結局、外国から借金をしていることになるわけです。

株主の国際銀行家たちは喜んでアメリカ政府に戦争資金を融資しました。なぜなら、連邦準備法成立と同じ年に憲法修正16条が批准《ひじゅん》されたため、アメリカ政府は国民から所得税を徴収することにより、返済資金を確保できるようになったからです。

アメリカ潰しの東西冷戦

続けて検証したいのは、第2次世界大戦後の〝東西冷戦〟とは何だったのか、ということです。冷戦とは、「米ソの2超大国が世界の覇権を求めて対立した」という正統派歴史学者の解釈では、とうてい真相がわからないものです。

国際金融勢力が自ら樹立したソ連という国家を使って、アメリカという国家の弱体化を狙ったのが東西冷戦だと私は解釈しています。

なぜそのような演出が必要だったのか。それは、アメリカが力を持ちすぎたからです。第2次世界大戦後アメリカは世界の富の半分を所有するほどの超大国になりました。このようなひとり勝ちは、お金で世界を支配する国際金融勢力にとって好ましいものではありません。彼らには、軍事力や経済力を備え、かつ精神的に健全な国家の存在は邪魔なのです。

彼らは1913年にアメリカに中央銀行を設立して、アメリカの金融支配の基礎を築いたものの、アメリカ国家全体を牛耳るには至っていなかったし、アメリカのエスタブリッシュメントであるWASP（White Anglo-Saxon Protestants の略称）の影響力は依然として根強く、またキリスト教に基づくアメリカ国民の倫理観は健全だったのです。

そこで、国際金融勢力はソ連の脅威を利用してアメリカを牽制するとともに、朝鮮戦争やベトナム戦争などにアメリカを巻き込みました。

実際、この2つの戦争によりアメリカ国民は自信を喪失し、モラルが著しく低下しました。同時に小さな政府を志向する〝新自由主義〟が台頭。アメリカの製造業は人件費の安い海外に進出し、国内経済は空洞化することになります。

アメリカで新自由主義が台頭してくる時期と、ソ連崩壊が始まる時期が一致していることに注目してください。超格差社会化により金融資本家たちのアメリカ支配力が高まり、同時に利用価値がなくなったソ連は崩壊の道を辿ったのです。

冷戦後はネオコンが世界に戦争をまき散らす

冷戦後の世界はアメリカの一極支配体制を笠に着て、ネオコン勢力が世界に戦争という災いをまき散らしていきます。

東欧カラー革命のひとつであるオレンジ革命。2004年11月22日、ウクライナの首都キエフの独立広場で群衆を前に演説するユーシチェンコ氏。写真：AP/ アフロ

湾岸戦争（１９９０〜１９９１）、コソボ紛争（１９９８〜１９９９）、アフガニスタン戦争（２００１〜２０２１）、イラク戦争（２００３〜２０１１）、シリア内戦（２０１１〜）がそれです。

また、ネオコン勢力は〝民主化〟と称した国際干渉を積極的に行い、東欧では「カラー革命」、中東では「アラブの春」により当事国に対立と混乱をもたらし、さらにはアメリカ自体も弱体化させました。

一方、経済ではグローバリズムが一層加速して市場の拡大とともに格差もますます広がっていきます。

恩恵を受けたのはグローバリストと中国のみで、日米は国内の空洞化に悩まされま

す。戦争と超格差社会および極左政策で分裂したアメリカ、急激な民営化で大不況のロシア、長引くデフレ不況に襲われた日本のなかで、国家を再建すべく強烈なリーダーシップを持ったナショナリストが最初に現れたのは、ロシアでした。

プーチン大統領です。

彼の戦いは、英米の息のかかったユダヤ系のオリガルヒからロシアの石油や天然ガス利権を取り戻すことから始まります。

ベレゾフスキー氏、グシンスキー氏といったユダヤ系の有力財閥を次々とロシアから追放していったため、ＤＳはプーチンを打倒すべき敵と認定したわけです。とりわけ２００３年10月のホドルコフスキー事件が決定的です。

ユコスという石油会社の社長だったホドルコフスキー氏は、同じくユダヤ系オリガルヒのアブラモビッチ氏が所有するシブネフチという石油会社と合併し、エクソンモービルに40％の株を売ることを計画。

ロシアの天然資源が外資に収奪される危険を察知したプーチン大統領は、脱税の罪でホドルコフスキー氏を逮捕投獄、シベリア送りにしました。

これに対し、プーチン包囲網を策したのはジョージ・ソロス氏です。２００３年の

2007年2月10日、第43回ミュンヘン安全保障会議で演説するプーチン大統領。
写真：ddp／アフロ

暮れから東欧で起こったカラー革命もその一環です。

しかしプーチン大統領とDSとの関係が決定的に決裂したのは、2007年のミュンヘン安全保障会議におけるプーチン大統領の演説が原因と見るべきです。

そこでプーチン大統領は「ロシアはアメリカの世界統一政府構想に反対だ」と宣言。つまり、「アメリカは世界統一政府を狙っている」と暴露したのです。

DSとは言っていないものの、事実上彼らに対し宣戦布告をしたようなものです。

しかし、DSの走狗である世界のメインストリーム・メディアはプーチンの警告を無視しました。

3人のナショナリスト

「アメリカファースト」をスローガンに掲げ、国家を再建すべく強烈なリーダーシップを持ったナショナリストとして2016年に登場したのがドナルド・トランプ大統領です。泡沫候補との下馬評を覆して大統領の座につきました。

ロシアのプーチン、日本の安倍、アメリカのトランプ、この3人のナショナリストが揃って対グローバリズムの最前線に立ったのです。しかし、トランプ氏は不正選挙により追放され、プーチン氏はウクライナ侵攻に追い込まれ、安倍氏は暗殺されることになってしまいました。

トランプ氏が〝DSとの戦い〟を公言し、アメリカを共産主義化しようと工作する勢力の執拗な弾劾、大規模な不正選挙、そして大統領の座を降りた現在は訴訟と、いまも精力的に戦い続けているのは、ご承知のとおりです。

2023年3月20日、トランプ氏はSNSに公開した動画で〝DSを解体する〟計画を発表しました。その概略は以下のとおり。

①2020年に出した大統領令を直ちに再発行し、不正な官僚を排除する大統領の権限を復活させ、その権力を積極的に行使する。
②国家安全保障と情報機関の腐敗した役者をすべて一掃。
③腐敗した外国諜報監視法（FISA）裁判所を全面的に改革。
④わが国を引き裂いたデマや権力の乱用を暴く。真相究明委員会を設立し、国家によるスパイ行為や検閲、腐敗に関するあらゆる文書を機密扱いから外して公表。
⑤フェイクニュースと結託し、意図的に虚偽のシナリオをつくり、そのシナリオを覆すために、政府内の情報漏洩者を大規模に取り締まることを開始。
⑥すべての監察官事務所を独立させ、彼らがDSの擁護者にならないよう、監督する部門から物理的に分離。
⑦情報機関が市民をスパイしていないか、米国民に対する偽情報キャンペーンを行っていないか、あるいは私の選挙運動をスパイしたように誰かの選挙運動をスパイしていないか、継続的に監視する独立監査システムを確立するよう議会へ要求。
⑧トランプ政権が開始した、広大な連邦官僚機構の一部をワシントンの沼地の外に移す努力を続ける。

⑨連邦官僚が取引し規制する企業で仕事を得ることを禁止。
⑩国会議員に任期制限を課す憲法改正の推進。

これらの施策によりＤＳを打ち砕き、国民によって、国民のためにコントロールされる政府を取り戻すと宣言したのです。

まさしく、ＤＳに対する最終戦争の挑戦です。なぜ、ＤＳが依然としてなりふり構わずトランプ再選阻止にやっきとなっているのか、おわかりいただけると思います。

２０２４年にトランプ氏が大統領に当選すれば、ＤＳ最後の年となる可能性が高まったと言えましょう。

第5章

「戦後レジームからの脱却」を唱えた安倍元総理の遺志を継ぐ

死守すべき国益と妥協とのギリギリの選択

２０２２年７月８日の安倍元総理暗殺の後、安倍元総理の遺志を継ぐことを表明した政治家が多く現れました。しかし、私は彼らの言葉をそのまま信用する気にはなりません。

安倍元総理の遺志なるものを、軽々に論じてほしくないからです。遺志を継ぐと断言する政治家に対し、「では国民の生命を守るために命を差し出してください」と求めたら、彼らが答えに窮《きゅう》することが目に見えているからです。

安倍元総理は国民を守るため、国益を死守するために、殉じられたのです。命の危険を感じておられたことでしょうが、それでも国益を優先されたと想像しています。安倍氏云々を発言する政治家は、国民の幸福のために自らの命を犠牲にする、その覚悟を具体的な態度で示してほしいと思います。それができない政治家に安倍元総理を論じてほしくありません。

今国会でのＬＧＢＴ理解増進法案成立に走った政治家は、安倍元総理を見事に裏切りました。この事実が彼らの欺瞞を余すところなく示しています。安倍元総理の遺志よりも、政治家としての利権を優先したのです。私たちは、ＬＧＢＴ法案に賛成した政治家を許すことができません。私たちの強い意志を次回国政選挙で示すことです。

それが、安倍元総理の遺志を継ぐことであるからです。


プーチン大統領やトランプ前大統領のように、安倍元総理は真正面からＤＳやグローバリズムと対決する姿勢を見せたわけではありません。

それどころか「安倍総理の正体は新自由主義者」、あるいは「安倍総理はグローバリスト」という批判さえ、保守派から上がったほどです。

外遊先の英米などで日本市場の開放を強調したスピーチや、外国人労働者の受け入れ拡大、ＴＰＰ（環太平洋パートナーシップ協定）などがその根拠とされました。

また、２０１５年の〝70年談話〟と韓国との〝慰安婦合意〟といった歴史認識問題でも非難が殺到しました。70年談話は先の大戦が日本の誤りであったことを改めて認めたことが槍玉に挙げられ、慰安婦合意は政府が韓国の女性基金に10億円を拠出したことなどで厳しく非難されています。

しかし私は、これらの安倍元総理がとったグローバル的な政策は、ＤＳとの妥協の産物だと理解しています。

そして、その妥協は、日本という国家の存続の保証と死守すべき国益をはかりにかけたギリギリの選択であり、譲ってはならない最後の国益は守っていたと評価しています。

多くの識者が「政治とは詰まるところ妥協だ」と言います。

ただし、妥協が成立するためには双方の主張を足して2で割る方法が正解ではなく、むやみに清濁《せいだく》併せ呑むといった豪傑的な対応でもありません。

第1章でも喩えたように、日本の国益を51％死守することができれば、49％を妥協して、相手国との関係を穏便に収めるということを、旨とされていたと拝察します。

だからこそ、増上寺における麻生氏の弔辞にあるように、「持ち前のセンスと、守るべき一線は譲らないとの類まれなる胆力」があり、世界各国の首脳からも一目置かれ、日本の存在感を飛躍的に高めることができたのです。

実際、左右を問わず批判者でさえも、戦後歴代総理の中で、確たる軸を持って独自の外交を成し遂げたのは安倍元総理であることに異論はないでしょう。

その功績はすでに多くの人が語っていることなので屋上屋を架すこともないのです

が、ウクライナ戦争が起きて以降も、安倍元総理の軸は一切ぶれなかったということは、対露外交から強調しておきたいと思います。

いわゆる〝安倍応援団〟と呼ばれる人たちとご本人は明らかに一線を画しています。しかも言論界より言論弾圧が激しい政界において、ロシアやプーチン大統領に配慮を見せたのはなまじっかの覚悟ではできないことです。現に「ウクライナにロシアが負けるはずがない」と正論を言った森喜朗元総理のように大バッシングを受けてもおかしくなかったのです。

第1章でも取り上げた英エコノミスト誌のインタビューで、安倍元総理はウクライナ戦争が回避できた可能性について次のように答えています。

〈侵攻前、ウクライナを包囲していたときなら、（戦争を回避することは）可能だったかもしれない。ウクライナのウォロディミル・ゼレンスキー大統領に、自国はNATOに加盟しないと約束させるか、東部の2つの飛び地に高度な自治権を認めさせれば、戦争を回避できたかもしれない。これが難しいことは理解している。おそらくアメリカの指導者ならできただろう。しかし、当然ながら（ゼレンスキーは）拒否する

だろう〉（『エコノミスト』２０２２年5月26日）

回顧録では〝強いロシアの復活〟を掲げるプーチン大統領に関してこう述べています。

〈彼の理想は、ロシア帝国の復活です。（中略）89年にベルリンの壁が崩れ、91年にソ連が崩壊し、大きな挫折を経験した。「なぜこれほどまで我が国は譲歩し、領土を手放してしまったのか」という想いが、プーチンの頭の中にはあったのだと思います。

ウクライナ共和国の独立も、彼にとっては許せない事柄でした。ソ連は、資源の豊富なウクライナに莫大な投資をしていたし、ロシアになってからも、資源開発を支援していたからです。そうした経緯があるから、国際法上決して許されることではありませんが、２０１４年にウクライナに侵攻してクリミア半島を併合したのだと思います。世界史では、クリミア半島は、ロシア帝国がオスマン帝国を破って手に入れた土地です。プーチンにとっては、ひとりよがりの考え方ですが、クリミア併合は、強いロシアの復権の象徴というわけです。

バルト三国のある大統領は私に、「ロシアにウクライナを諦めろと言っても、到底無理だ。ウクライナは、ロシアの子宮みたいなものだ。クリミア半島を手始めに、これからどんどんウクライナの領土を侵食しようとするだろう」と述べていたのが印象的でした〉（『安倍晋三 回顧録』中央公論新社）

このように、その国の指導者の世界観や歴史観を腹の底まで理解していないと他国との交渉などできるはずがありません。

リアリズム外交

一方的に〝狂気の独裁者〟とレッテルを貼るだけのメディアとは違い、安倍元総理は、プーチン大統領を代弁するかのような発言をしています。

また、「プーチンのために多くの政治資金と時間を費やしたことを後悔しているか？」という嫌味な質問に対しては以下のように答えています。

「まったく後悔してない。北の脅威を減らし、南西に軍を置くべきだと思ったからだ。

平和条約を締結し、北方四島の問題を解決するために交渉するのが私の責任だと考えた。多くのロシア人は、北方領土を日本に返還することに圧倒的に反対している。その中で、確固たる基盤を持たない指導者が四島の問題を解決するのは難しい。私は、プーチンが適任だと考えた。日本と平和条約を締結することの中長期的なメリットを理解してくれていると思ったからだ」

同様の趣旨のことは『安倍晋三 回顧録』のなかにもあります。

つまり、領土交渉の難しさは相手国だけではなく、自国サイドの圧力を受けながら落としどころを探らなければならないことです。国益と妥協をバランスさせるグレーな交渉の世界です。白黒をハッキリさせては敗北した側の指導者は怒った国民から引きずり降ろされる危険と常に隣り合わせだからです。

領土返還が約束されていないのに、日本が経済協力を先行させることに対しては、ロシア研究家などから「安倍は大きな間違いを犯した」とか、「四島一括返還の立場を捨てた」などとさんざん批判されたと回顧録のなかで安倍氏は述べています。

しかしどんなに正当性があるにせよ、原理主義的に四島一括返還にこだわれば、

2019年6月28日、G20大阪サミットでの安倍晋三総理（当時）とプーチン大統領。写真：AP/アフロ

「永久に北方領土が戻ってこなくてもいい、ということと同義です」というのはそのとおりでしょう、ギリギリの判断だとは思いますが。

私は本を著すようになった当初から日本の安全保障と北方領土の返還を達成するために、日本はロシアに経済協力すべきだと提言してきました。

２０１２年に著した『国難の正体』（総和社）の一節を引用してみます。当時、このような私の見解に対しては多くの批判が寄せられたものです。

〈プーチンを支援するとは、具体的には日本の経済力や技術力を使ってロシアの経済技術発展、すなわちロシア型近代産業国家の建設を支援することです。新しいロシアの理念に基づく国つくりに対する協力です。日本企業が集中的にロシアに投資することによって、日本の企業文化をロシアの伝統的価値観に相応しい形で移植することが出来ます。ロシアには優れた科学技術があります。日本の科学技術とあいまって、ロシアは近代産業を発展させることが可能になると思います。

ロシアとの提携強化は、日本経済にとっても大きなメリットがあります。石油や天然ガスの共同開発や輸入など、日本のエネルギー問題を解決するうえでも、ロシアは魅力的な市場です。

このようなロシア国家の建設は、ロシアにとって最大の安全保障になるはずです。ロシアが天然資源依存の経済発展方式を改革し、ロシアの強国化に寄与することでしょう。広大なロシアという国家は、世界的大国としての地位を確立して初めて、独立国家としての国内的求心力を維持することが出来るのであり、国民をひとつに束ねて生き延びることが可能となるのです。

ロシア型の近代産業国家の樹立こそ、ロシアにとって最大の安全保障なのです。このようにして安定した親日国ロシアは、日本にとっても安全保障上のメリットが大きいと思います。

このように、日本の支援がロシアの大国化と安全保障の強化に寄与するものであるならば、日本の支援と北方領土四島の返還との取引は十分可能になると、私は確信し

ています〉

そして『安倍晋三 回顧録』で特に感銘を受けたのは次の記述です。

〈時の政権に、核となる政策がないと、財務省が近づいてきて、政権もどっぷりと頼ってしまう。菅直人首相は、消費税をして景気をよくする、といった訳のわからない論理を展開しました。民主党政権は、あえて痛みを伴う政策を主張することが、格好いいと酔いしれていた。財務官僚の注射がそれだけ効いていたということです〉

私はこれを読んで、「大和心のことをおっしゃっているのだ」と腑に落ちました。核となる大和心がないと漠意の財務省に取り込まれてしまうのだと。

残念ながら、戦後の財政法に縛られ緊縮財政にこだわっている財務省には大和心は見受けられません。したがって、大和心のない政権だと財務省に簡単に搦めとられてしまうのです。

政治家として〝清濁併せ呑む〟ためには核がなければなりません。さもなければ

〝濁〟に染まってしまう。財務省に丸め込まれ、アメリカに唯々諾々《いいだくだく》と従い、中国やロシアにつけ込まれる――そんなことでは日本を守ることなどできません。

そもそもヨーロッパの戦争であるウクライナ戦争に極東の日本が肩入れする必要などないのです。第1次世界大戦は同盟国イギリスの要望で最終的には仕方なく重い腰を挙げましたが、当時の政府はヨーロッパの戦争に介入する不毛さを熟知していました。

しかし、岸田政権にはそのような戦略思考が見受けられない。これもDS（ネオコン）の傘下に黙って収まることを善しとする姿勢と見れば腑に落ちます。

安全保障の専門家であるエドワード・ルトワック氏が「安倍氏は戦略を学問として研究したことはないが、戦略を本能的に理解し、生まれつき戦略的な思考を身につけていた」と評していたと産経新聞の阿比留瑠偉氏がおっしゃっていました。

ルトワック氏は、第二次安倍政権で2014年に国家安全保障局（NSS）を設立する際に、安倍元総理と数年間にわたり一緒に仕事をしたそうで、総理の意向を受け、国家安全保障局に配置される外務省や防衛省の職員らに訓練を施し、同じ職場で意思疎通できるよう意識変革するのが任務でした。

ＮＳＳを安倍元総理が主導したことにより、外務省は米国務省、防衛省は米国防総省、海上自衛隊は米海軍と、事実上のアメリカ出先機関と化していたのが、省庁間で連携がとれる体制に変わった。ルトワック氏は日露関係に関しても、従米にない日本独自の外交だと評価しています。

私も同様の感想を持ちます。戦略を勉強しなくても本能、言い換えるなら感性で理解できる方だったのだと思います。その代わり安倍氏が何を勉強していたかというと歴史です。まわりが受験勉強であくせくしているときも、ひたすら歴史の勉強をしていたようです。政治家になることを運命づけられていたような人だったので、大学に入ってからも、その探究心は歴史に向かっていたと聞いています。もちろん教科書的な歴史ではありません。直接お話を伺ったとき、歴史に関して深い洞察があるのを感じたものです。おしなべて人間をつくるのは歴史観であり、それは人生の道標になるものだからです。

回顧録には安倍元総理が感性的直観で外交をやっていることがわかる記述が随所にでてきます。たとえば、中国に対してです。安倍元総理は各国の首脳と会うたびごとに中国の脅威について繰り返し述べていました。なかには中国と親しい首脳もいますが、告げ口されるのを百も承知で、構わずにいたそうです。

〈なぜかというと、これは勘でしかありませんが、中国という国は、こちらが勝負を仕掛けると、こちらの力を一定程度認めるようなところがあるのではないか、と思うのです。日本もなかなかやるじゃないか、と。そして警戒し、対抗策を取ってくる。

中国との外交は、将棋と同じです。相手に金の駒を取られそうになったら、飛車や角を奪う手を打たないといけない。中国の強引な振る舞いを改めさせるには、こちらが選挙に勝ち続け、中国に対して、厄介な安倍政権は長く続くぞ、と思わせる。そういう神経戦を繰り広げてきた気がします。将棋を指しても、盤面をひっくり返すだけの韓国とは、全く違います〉(『安倍晋三 回顧録』)

戦後レジームからの脱却を説く安倍元総理にとって憲法改正は悲願のはずですが、改憲して戦える国になると勇ましい保守派よりもよほど現実主義者です。

「武力行使ができない日本は、身の丈に合った外交をすべきだ」という声に対して次のように断言します。

〈それじゃダメなんです。どちらかと言えば、誇大広告でいいのです。例えばフランスの経済力は、国内総生産（ＧＤＰ）で見れば日本の6割程度でしょう。英国だってロシアだって、日本より低いわけです。フランスの売りは何かと言えば、文化と核保有という点に加えて、圧倒的な大国意識を持っていることでしょう。大国意識だけで大きな顔をしている国は、世界中にいっぱいあるのです。世界第3位の経済力を誇る日本が、ちまっとしている必要はない〉（『安倍晋三　回顧録』）

暗殺事件の不可解

安倍元総理暗殺事件はいまだに多くの謎が解明されぬまま、時間だけが過ぎています。最も不可解なのは、安倍氏の救命治療にあたった奈良県立医大附属病院の福島英賢医師（教授）の所見と、奈良県警の司法解剖の結果が真逆と言っていいほど異なることです。

時系列を整理すると、安倍氏は２０２２年7月8日午前11時半ごろ、奈良市の近鉄大和西大寺駅前で選挙遊説中、背後から近づいた山上徹也容疑者の手製銃で銃撃されたことになっています。12時20分、橿原市の奈良県立医大附属病院に搬送されたものの、心肺停止状態にあった安倍氏を蘇生させることはできませんでした。死亡が確認されたのは、17時3分。

18時すぎに行われた記者会見で、福島医師は、安倍氏の体には、頸部の前方と右側の2カ所と左上腕部に1カ所、銃創と見られる傷があり、「心臓および大血管損傷による失血死」との見方を示しました。また、「心臓の傷は大きいものがあった」と述べ、心臓の心室の壁に大きな穴があった、としています。

一方、奈良県警は事件の翌9日の会見で、心臓ではなく、「左右鎖骨下動脈の損傷による失血死」という司法解剖による所見を発表。山上容疑者の2回の発砲は、安倍氏の背後からで、安倍氏が1回目の発砲のあと上半身を後ろへ振り向いたときに、2回目の発砲で被弾したと見られるといいます。しかし、首の前部と右側から弾が入り心臓に達したのだとしたら、致命弾は山上容疑者以外の何者かによって発せられた可能性も排除できなくなります。

2023年6月号の『WiLL』に、衆議院議員の高鳥修一氏が「疑惑の凶弾―安倍最側近が執念の検証」という記事を寄稿されています。

疑惑を持った筆者が、当時現場にいた関係者や医療関係者から聞き取りを含めて事件の検証を行ったものですが、銃の知識がある者からするとこの事件は合理的な説明がつかない点がいくつもあるとします。高鳥氏自身、新潟県猟友会の顧問をしており、銃と弾に関しての見識を持っている方です。「あくまで物理的観点からのもので、決して陰謀論ではない」と高鳥氏は強調しています。

詳しくは原文にあたっていただくとして、弾道を見ると被疑者の撃った方向と合致しない可能性があること、直径９㎜もある鉛の弾が消えたこと、弾と傷口が一致せず死因である失血死に疑問があることを、詳細に明かしています。

さらに８月25日付警察の報告書によると、現場で警備員が別の警備員に対してガードレールの内側に移動して東（右）側歩道上の聴衆を警戒するよう指示したとあり、そのため南（後ろ）側の警戒が極めて不十分になったことに関して説明を求め、現場検証が事件発生から五日も後に行われた理由についての検証を求めています。

また、札幌医科大学名誉教授の高田純氏は、映像と音響データの時系列解析によって、狙撃の瞬間をとらえた映像の物理解析から〝山上はパイプ銃で２回空砲を鳴らし、

2回目の0・2秒前に亜音速弾が安倍さんの頸部右前に命中〟の証拠を得たと、結論づけています(2022年12月『WiLL』)。

つまり、単独犯などではなく、組織テロだというのです。

ケネディ大統領暗殺

今回の安倍元総理暗殺事件は、1963年11月22日のケネディ大統領の暗殺を彷彿《ほうふつ》とさせるものがあります。白昼、テキサス州ダラスで車でパレード中、共産主義者オズワルドに射殺されたとされる事件ですが、ケネディ大統領は後ろからだけではなく前からも撃たれています。

オズワルドは後ろから撃ち、それが背中に命中しているから、それなりのスナイパーだったのでしょう。ゆえに選ばれたのだと思いますが、致命傷を与えたのはオズワルドが放った銃弾ではなく、前から撃たれた弾でした。ケネディはまず前に倒れ、その後で顔を上げたところに前方から発射された弾が当たり、最後は後ろに倒れています。これは映像が残っていて、いまでも確認できます。

また、ケネディを乗せたオープンカーが速度を落とさざるを得ないような不自然なパレード・ルートが採用されていたこと。さらに、ケネディ暗殺に関する公式のウオーレン（最高裁判所長官）調査報告書は作成から75年後の２０３９年に開示されることになっていること。そもそも、75年経たないと公開できないこと自体、ケネディ暗殺には深い闇があることを窺わせます。ようするに関係者が生きている間は、公開しないということです。

現に、オズワルドは口封じのためか、警察署内で酒場経営者の男、ジャック・ルビーにピストルで射殺されました。

ケネディ暗殺と共通した深い闇の存在を、今回の安倍元総理射殺事件から感じるのは私だけではなく、多くの人がそうでしょう。それなのに、疑念を持つ言説に対し、性懲りもなく陰謀論というレッテルを貼ってくる者もいる。

まだ全体の情報が不十分とはいえ、すでに判明している様々な不審点から、逮捕された山上容疑者の単独犯行ではないことが明らかになりつつあります。

高鳥氏も指摘するとおり、通常では考えられないほどの杜撰な警備状態です。たまたま警備が手薄になっていて、後ろから近づくことができ、しかも最初の１発は煙が出て、何も影響がなかった。それゆえに警護の人たちが山上容疑者のほうに行ってしまい、誰も安倍氏に覆い被さるようなケアをしなかった。要人警護としては考えられないことです。仮にも異音が聞こえたら、彼らがやることは、安倍氏を囲み、自分たちが盾になることです。こんなことは常識です。

テレビで放送されたのは、山上容疑者が一発目を撃って煙が出た後、安倍氏が地面に横たわって心臓マッサージを受けているシーンでした。この映像を見るといかにも山上が撃った弾によって倒れたように見えます。しかし、これは時間的に連続した映像ではありません。その間の時間に何があったのかが映っていないのです。このように、ＴＶ映像がカットされたとすれば、安倍氏は山上以外の誰かに上方前方から撃たれたとの説が説得力を持つのです。

当然のことながら、映像のカットはテレビ局を巻き込んでやらないとできません。また、警察がグルだったなら、警察をもコントロールできる勢力がいるということになります。メディアや警察を巻き込むオペレーションができるのは、どこかの国の情報機関が絡んだときです。これは世界の暗殺の歴史を見たらわかります。

ケネディ暗殺にしても、情報機関が絡まなければできないというのが、多くの専門家の見方です。CIAとFBI(アメリカ連邦捜査局)に加えて、イギリスのMI6が絡んでいると主張する調査報道なども見られます。安倍元総理の暗殺もまた、情報機関が絡まなければできないという見方は否定できないのではないでしょうか。

中国の仕業を疑う向きもありますが、私はDS(ネオコン)の関与の可能性を否定できません。リンカーンやケネディのように安倍氏の何が彼らの逆鱗に触れたのか、明言できませんが、戦後の歴代総理がアメリカを恐れて成し得なかった日本独自のリアリズム外交を安倍元総理はなさっていた。

DSが求めるような、民主国家vs専制国家といった図式を安倍元総理は受け入れず、ウクライナ戦争解決の鍵は2015年2月のミンスク合意にあることを公言しておられました。さらに、退任後もプーチン大統領との間で水面下で接触を続けておられました。これらから、ウクライナ戦争解決の仲介ができるのは、安倍総理が最も適役だったことが窺《うかが》えます。これが、7月8日に繋がった可能性を否定することはできません。

少なくとも、ウクライナ戦争と絡んでいないと思うほうがむしろ不自然です。もちろん、真犯人は当面明らかにならないでしょう。真実が公開されるのはまだ何十年も先のことになるかもしれません。

いずれにしても、安倍元総理暗殺事件でメディアなどが一斉にクローズアップした問題がかえって謀殺説を補強する材料になっているのです。

ひとつは前述した〝警護の不備〟です。この件では、警察庁長官と奈良県警の本部長が辞任したこともあって、そこで国民の関心は薄らいだようです。

もうひとつは〝旧統一教会問題〟。これは国会の場でも執拗に追及されましたが、暗殺事件の本質を隠すために利用されていると誰でも思います。常識で考えても、旧統一教会に自分の母が食い物にされたからといって、それがなぜ安倍元総理を殺す動機になるのでしょうか。

私が心配するのは将来、山上容疑者が精神異常者にされるか、拘置所で自殺するかどちらかで幕引きが図られたら、真実は永遠にわからないままで終わることです。

少なくとも旧統一教会に恨みを持った山上容疑者の単独犯ではないし、ましてや旧統一教会と政治家の癒着など、この事件とは関係がない。

ところが、そういう機微《きび》に触れることは既存メディアはもちろんのこと、ネットメディアでさえもほとんど言及できない状況だったのです。しかし、その流れも変わりつつあります。たとえば、週刊文春も〝疑惑の銃弾〟に対して徹底検証を行うようになってきました。これまでの言論弾圧傾向とは違う流れが出てきたということです。

笑顔の原点

国葬や旧統一教会との関係についてメディアや野党に口汚く非難中傷されていたにもかかわらず、多くの国民が安倍元総理の逝去を悼み感謝の気持ちを表明した事実は、日本人が何かに気づいたということを暗示しているように思えてなりません。この気づきこそ、これから予想される未曾有《みぞう》の国難を乗り切るうえで、最大の切り札となると私は思います。

著述家で実業家の執行草舟《しぎょうそうしゅう》氏が、安倍元総理の支持母体である日本会議が発行する機関誌『日本の息吹』特別号【安倍晋三元総理追悼号】に核心を突いた文章を寄稿しておられたので引用させていただきます。

〈(前略)ただ、その政権の日々に、我々国民のひとりひとりに向けられた無垢としか言いようのない、その笑顔の印象が忘れられないのだ。その笑顔は、安倍元総理の

写真：ロイター/アフロ

「人間生命」の全体から醸し出される真実だった。その笑顔が、強く私の脳裏に焼き付けられている。美しい笑顔は、人間的品格からのみ生み出される。だから、そこから出発した政治思想は、美しいものに決まっているのだ。政治とは所詮、人間が行うものだからだ。いかなる政策も、人間が行っている。私はあの人間的温かさを湛えた美しい笑顔の「原点」を信じている。その原点は、歴史的な「正統」が創り上げているものに違いない。

安倍元総理は、その正統を担い続けて来た人物だと思っている。だから、いかなる時も「洗練」の姿勢を失わなかった。いかなる時にも、日本の「中心軸」を失わなかった。そして、日本人が日本人らしく生きることだけを願い続けていたのだろう。そういう当たり前のことが、正統の持つ真

写真：代表撮影／ロイター／アフロ

の力なのだ。

いまはただ、日本の正統のために殉じた、その生命の尊さを偲びたい。その魂の誠を仰ぎたい〉

「美しい笑顔は、人間的品格からのみ生み出される」とあるように、言葉は取り繕うことができても笑顔はごまかせません。私は執行氏この一文を読んで、あらためて腑に落ちました。

そして「その原点は、歴史的な〝正統〟が創り上げているものに違いない」と続きます。正統からくるものだからいつも笑顔でいられるのです。正統かだから「いかなる時も〝洗練〟の姿勢を失わなかった」。

〝日本の中心軸〟というのは〝大和心〟と言い換えてもいいでしょう。「日本人が日本人らしく生きることだけを願い続けていた」から自然と〝日本を取り戻す〟という言葉が出てくるのです。

安倍元総理の精神の神髄が凝縮された文章です。何度も嚙みしめ、腑に落とすべきです。

私自身、安倍元総理にお目にかかったのは数回しかありませんが、ここに書いてあるとおりの方だと同感いたしました。

間違いなく、日本も日本人も安倍元総理によって世界的評価が上がりました。今後とも、安倍元総理を尊ぶ姿勢を日本全体で示し続けなければなりません。自国の総理の偉大さを世界からの評価だけで知るというのは情けない。

私たちがすべきことは明らかです。

「政治家としてやり残したことはたくさんあったと思うが、本人なりの春夏秋冬を過ごして、最後冬を迎えた。種をいっぱいまいているので、それが芽吹くことでしょう」という国葬儀においての昭恵夫人の言葉のとおり、私たちひとりひとりが安倍元総理の遺志を芽吹かせ、日本を取り戻していくのです。

第6章

近未来と日本の現実

エルドアン大統領の再選

ウクライナ戦争が事実上終わったとなると、私たちの関心は次の戦争はどこで起きるかという点です。昨今メディアを賑わせたのは、スーダン紛争でした。既存メディアでは、通常次のように解説されています。

スーダンには、長年独裁的な政権が続いていた。しかし、２０１９年4月、パンや燃料の値上げに抗議する市民のデモをきっかけに、軍がクーデターを起こして独裁的なバシール大統領は失脚。

その後、民主化への模索が続いていたものの、その歩みは逆行し、軍と民主化勢力の対立が表面化したのが２０２１年10月。軍が再びクーデターを起こして実権を握ると、抗議デモへの弾圧が続いている――。

そして現在の衝突は、軍トップで実質的な大統領のアブドゥル・ファッタハ・ブルハン将軍と、準軍事組織〝即応支援部隊（ＲＳＦ）〟を率いるモハメド・ハムダン・ダガロ司令官（ヘメティの名で知られる）が、国政の方向性と民政移管をめぐって対立していることが背景となっている、と。

果たしてこのように単純な図式かどうか。

私には何かを念頭に置いたオペレーションという感が否めません。日本を含め、各国がスーダンで一斉に自国民救出に動きました。今後起こりうる大規模な紛争に備えての予行演習に見えてなりません。世界中で紛争が起こったときにどのようにして各国が自国民を救済するかの演習をしているように思えるのです。

ウクライナの次に紛争が起こるとしたらどこか。私は中東とアジア、特にトルコと朝鮮半島が危ないのではないかと考えていました。ロシアでうまくいかないと、中東で紛争を起こすというのが２０１４年のウクライナ危機以来の、ネオコンの常套パターンなのです。一時はイラクで起こりかけましたが、いまのところは収まっています。

イランとサウジは中国の仲介で国交を再開しましたが、ネオコン勢力がイランを攻める口実は核兵器開発などいくらでもあります。

しかし、それよりもエルドアン潰しに動くのではないかと私は注視していました。幸い、5月28日に行われた大統領決選投票で、エルドアン氏が対立候補に4パーセントポイントの差をつけて過半数を制し、大統領に当選しました。私は、決選投票でエルドアンが勝っても、かつてのオレンジ革命のように不正選挙と騒がれて失脚する可能性があると懸念していましたが、バイデン政権が早々とエルドアンの勝利を認めたため、杞憂《きゆう》に終わりました。考えれば、DSの力がそれだけ弱まってきた証ともいえるわけです。

もし20年以上トルコを指導してきたエルドアン大統領が敗れ、親欧米派の大統領が誕生していたとしたら、ウクライナ戦争の行方に大きな影響を与えた恐れがあります。ご存じのように、NATOにおいて、ロシアとの戦線が拡大しないよう抑えていたのが、ほかならぬエルドアン大統領だからです。

中東で紛争が起これば、同地域へのエネルギー依存度が高い日本も大きなダメージを負うことは間違いありません。もとをただせば、中東リスクを減らすためにエネルギーの供給地としてロシアと協調してきたはずなのに、ウクライナ戦争によってその計画が崩れてしまったからです。

DS vs 中国共産党エリート

中国による台湾侵攻の恐れが、日本の防衛力強化の理由となっていますが、果たして台湾有事は起こるのでしょうか。この点に関しては、いわゆるネット保守の大半が台湾有事に備えろと、声高に叫んでいます。台湾有事になれば、アメリカが介入し、日本に飛び火するのを防いでくれるはずという幻想に浸っているようにしか思えません。メディアや言論人は中国による台湾侵攻の危険性ばかりを煽り立てますが、中国の動きを予測する場合、アメリカvs中国という対立軸ではなく、ＤＳvs中国共産党エリートという図式で分析するべきだと私は考えています。

なぜなら、中国共産党の歴史をさかのぼれば、共産党政権を誕生させたのはＤＳであり、中国の市場開放政策で儲けたのも彼らだからです。ＤＳが〝中国を利用している〟と言っていいでしょう。その理由を理解するには、１９４９年の中華人民共和国建国の背景にまでさかのぼる必要があります。

中華人民共和国の建国は、当時のトルーマン大統領を背後で操っていた共産主義者の側近たちの策謀によるものでした。ルーズベルト大統領の側近だった彼らは、１９４５年、ルーズベルトの死去に伴い副大統領から昇格したトルーマン大統領の側近としてとどまっていたのです。

ルーズベルト政権は支那事変から大東亜戦争の終了まで、終始、蔣介石の国民政府ではなく、毛沢東の共産党ゲリラ勢力を支援しました。アメリカが蔣介石に日本と戦うように裏で支援し圧力をかけ続けたのは、国民政府軍を疲弊させて毛沢東の共産党軍を有利にするためと見るべきです。

実際、ルーズベルト政権は毛沢東の根拠地だった延安にアメリカの外交官を常駐させていました。また、１９３６年末に起きた西安事件は、蔣介石配下の張学良が西安で蔣介石を監禁して、抗日戦争の遂行と蔣介石に毛沢東と共同して日本にあたることを強要した事件です。

この事件の首謀者である張学良は、２００１年にハワイで死去しました。なぜ、張学良は台湾や中国本土ではなくアメリカのハワイに住んでいたのでしょうか。彼はついぞ西安事件の真相を語ることはありませんでしたが、語らなかったということが多くを物語っています。

さらに、１９４５年に勃発した国共内戦においてトルーマン大統領の特使として中国に派遣されたマーシャル将軍の行動にも注目してみます。

マーシャル将軍は、国民党への武器援助の実施を遅らせるとともに、中共軍との即時停戦を主張し、中共軍の立て直しのための時間稼ぎをしました。圧倒的に優勢だった蔣介石に不必要な共産党との国共連立政権を強要したのです。

〝マッカーシズム（赤狩り）〟で有名なジョセフ・マッカーシーは、「マーシャルこそ中国を共産主義者に売り渡した張本人だ」と厳しく非難しました。

そのことを一番理解しているのは毛沢東です。１９６４年、日本社会党の訪中団による日本の中国侵略への謝罪に対して、毛沢東はこう答えています。

〈何も申し訳なく思うことはありません。日本軍国主義は中国に大きな利益をもたらし、中国人民に権力を奪取させてくれました。皆さんの皇軍なしには、われわれが権力を奪取することは不可能だったのです〉（『毛澤東思想万歳〈下〉』三一書房）

なぜＤＳは中国に共産党政権を成立させる必要があったのか。その答えは、共産中国をソ連の影響下に置き、その衛星国にするためです。

すなわち、アメリカを弱体化させるために、冷戦の一方の雄であるソ連をより強国に仕立てあげるためです。そして朝鮮戦争もその一環です。

それと同時に、台湾問題という中国の火種はあえて残した。台湾に逃げた蔣介石の国民党に共産党が追い打ちをかけようとした矢先に朝鮮戦争が起こったことからも窺えます。

中共は朝鮮戦争の教訓に鑑み、アメリカが撒いた台湾解放の餌に飛びつくことはなく、むしろ台湾を西側への経済的アクセスの基地として利用する戦略をとったのです。

アチソン演説

毛沢東の中共政権成立の歴史に加え、今日の台湾をめぐる米中の関係を理解するうえでの最大のヒントは、1950年1月のアチソン国務長官の演説であると言っても過言ではありません。

アチソン国務長官は「中国大陸から台湾への侵攻があっても、台湾防衛のためにアメリカが介入することはない。アメリカのアジア地域の防衛線には南朝鮮を含めない」（於ナショナル・プレスクラブ）と演説しました。

この演説を受けて、6月に北朝鮮軍が韓国に攻め込み、朝鮮戦争が勃発したことはよく知られていますが、毛沢東政権樹立の3カ月後にアメリカは「台湾が中国のものである」という認識を示していることを見落としてはなりません。

アメリカは正式に「アチソン路線を変更した」とは宣言していないので、アチソン演説はいまも生きていると考えられます。つまり、古証文ではなく、現在でも有効なアメリカのドクトリン（基本原則）なのです。

中共の設立以来、アメリカは台湾が中国の一部であることを認めていて、中共が台湾の武力統一に動いても、台湾防衛のために軍事的に戦う意思があるのか疑問です。ウクライナの例を見れば、誰しもそう思うに違いありません。

ウクライナ戦争に関して楽観的見通しを排除し、「外交で強制終了させるしかない」と説いているマーク・ミリー統合参謀本部議長も、台湾侵攻の可能性は低いと見ています。

中国が2027年までに台湾を武力攻撃すると最初に言った米インド太平洋軍のフィリップ・デイビッドソン司令官の言葉を否定したうえで、「中国が台湾を攻撃すればロシアのウクライナ侵攻と同様の〝戦略的過ち〟を犯すことになる」とミリー氏は言っているのです。

独裁の完成は没落の始まり

２０２２年10月の中国共産党大会で、習近平主席の３期目、独裁の継続が確立されたわけですが、そのかわり、今後の失政はすべて習主席の責任として追及される可能性があります。つまり、独裁の完成は没落の始まりという側面があるのです。

習主席の置かれた地位に鑑みれば、多くの識者が力説しているように「台湾侵攻が早まることになった」と単純に片づけてよいものか疑問です。

アチソン・ラインがある以上、習主席にとって台湾侵攻が〝毛沢東を超えること〟にはならないからです。その歴史を理解しているはずの習主席がわざわざその火種に手を突っ込むような真似をするのか――。アメリカが〝ひとつの中国〟をひっくり返し、台湾を国家承認しない限りは、一線を越えることはないと思われます。

そう考えると、むしろ習主席は内向きの姿勢を強化するのではないか。私は政権が安泰なうちは、台湾侵攻はないと見ていますが、ＤＳの分裂が共産党政権にもたらす状況の変化は注視する必要があります。

中国の将来予測に関しては、「２０２５年に中国共産党の一党支配は終わる」と述べたジャック・アタリの見解を重視しています。

フランスのユダヤ系の経済学者であるアタリは、ＤＳの欧州における広告塔のような存在。したがって、その発言はＤＳの意思を示していると見ていいでしょう。つまり、ＤＳの手によって中国共産党体制が崩壊させられるのではないかと思うのです。なぜなら共産党政権を誕生させただけでなく、いまの米中関係を構築してきたのはＤＳだからです。

ご承知のとおり、１９７１年のキッシンジャーの極秘訪中は、翌年のニクソン大統領の歴史的な中国訪問へと発展します。

なぜ、アメリカが中国との和解に舵を切ったのか。そのヒントは、アメリカの大富豪デイビッド・ロックフェラーが解説してくれています。彼は回顧録で告白しているのです。

〈１９７０年代初頭には、（ベトナムなどで米中）両政府とも目的を達成できず、私を含む多くの人々が、新たなことを試す時が来たと考えるようになっていた。それゆえに、ニクソンが進んで中国指導部とともに新たな戦略を模索し、東アジアにおける

新時代幕開けの準備が整ったのだ〉（『ロックフェラー回顧録』新潮社）

つまり、ニクソンの訪中はロックフェラーたちが望んだから実現したのです。裏返せば、アメリカの大富豪たちが望まなければ、ニクソンの訪中はなかった。アメリカの外交政策を左右しているのはＤＳということです。

現に、デイビッド・ロックフェラーは中国を訪問した最初のアメリカ人銀行家となり（１９７３年６月末）、彼のチェース・マンハッタン銀行は中国銀行のアメリカ代理店となりました。

毛沢東、周恩来亡き後、中国の指導者になった鄧小平はキッシンジャーの支持の下、改革開放路線をひた走ることになります。つまり、中共はアメリカのウオール街を中心とする国際金融勢力と手を結ぶことによって、疲弊した経済に活路を見出し、一方のＤＳも中国の豊富な安い労働力と巨大市場で大儲けできたのです。

そのＤＳが中国共産党体制を潰す理由は、中国がＤＳの覇権にまで介入してくるようになったからでしょう。中国共産党体制をつくったＤＳからすれば、現在の中国の動きは恩を仇で返されたようなもの。習近平体制が強化され、外資の経済活動が締め付けられたうえに人件費も高騰し、うまみがすっかりなくなってしまったのです。

そこで、中国共産党による中国市場の優先的支配をやめさせる方向に舵を切ったのでしょう。

2021年のダボス会議で〝グレートリセット〟という言葉がテーマになりました。従来の国際秩序を根本的に刷新しようというわけですが、リセットの一環に中国共産党の一党支配の終焉が入っていても不思議ではありません。

中国という巨大市場の行方

DS vs中国共産党がどんな動きを見せるのか、予断は許しませんが、中国経済の状況を見ていると、習近平以後は共産党体制の維持が困難になる可能性があります。
単純化して説明すると、いまの中国経済は人民から様々な形で資金を召し上げて、赤字を垂れ流している国営企業のツケを払う、つまり国営企業の赤字補塡にあてているのです。不動産バブルの対処にしても、基本的にはそういう構図です。〝人民が豊かになる〟という意味では、もはや行き詰まっている。

ジャック・アタリならずとも、だいたい２０２４年から25年あたりに中共の支配が滅ぶと合理的に考えられるのです。アタリもインタビューで「対外関係の悪化と経済失速により、中国がアメリカに代わる超大国にはならない」と断言しています（『電子版日本経済新聞』23年3月29日）。共産党の権威が失墜することにより、ソ連崩壊と似た道をたどると予測しているのです。

ただし、巨大市場である中国そのものはなくなるわけではありません。〝中国は国でなく、マーケット〟が私の持論ですが、そのマーケットを政治的に支配する中国共産党政権は滅びることになるでしょう。そこは区別して考えなければいけません。マーケットは残るという意味では〝中国は滅びない〟のです。

いまはたまたま中国共産党の支配を受けていますが、それ以前はさまざまな王朝が支配していた土地です。中国共産党政権が滅びた後、中国という市場を治める新たな政権ができるでしょう。

そこで参考になるのは、１９２２年の９カ国条約です。この条約は、ワシントン会議に出席したアメリカ・イギリス・オランダ・イタリア・フランス・ベルギー・ポルトガル・日本・中華民国の９カ国間で締結されたものですが、中国に統一政権が存在していない段階で、お互いに中国に介入することは控えようとの確認でした。

しかし実際は、欧米諸国、特にアメリカにとって日本の中国進出を封じ込めるのが目的でした。日本が中国で何かをするたびに、アメリカは「9カ国条約違反だ！」と抗議してきました。

これと同じように、中国共産党支配が終わった暁には、9カ国条約的な時代に舞い戻る可能性が考えられます。つまり、これから中国というマーケットで誰が有利な地歩を固めるかということです。このなかで日本が国益を守りつつ他国に伍してゆけるかは、歴史的な課題でもあるのです。

ところが現在の日本は、自民党の有力政治家が中国利権に搦めとられて、中国に面と向かってモノが言えない情けない状況にあります。したがって、今後激変が予想される中国に対処するには、しがらみのある政治家には全員退場してもらう必要があります。中国と対等にやりあうには、利権に縁遠い政治家でなければならないからです。

台湾出身の評論家である黄文雄氏は、「中国と付き合うのは〝敬遠〟がいい」とおっしゃっています（『中国人の8割は愚か！』李白社）。この〝敬遠〟の距離感こそ、歴史的に見て日中関係が良好であった時代から学ぶべき教訓なのです。

朝鮮半島が再び戦場になる可能性

私は中国の台湾侵攻が起こる可能性よりも北朝鮮の動向を注視しています。

なぜなら、いまの東アジアの状況は１９５０年のアチソン演説時の構図と同じで、朝鮮半島と台湾での戦争が想定された場合、歴史が正確に繰り返されるならば、戦争が起こるのは朝鮮半島の可能性が高いからです。

実際、北朝鮮は２０２２年は少なくとも85発と過去最多のミサイル実験を行っていて、２０２３年になって情勢がますます緊迫してきたように見えます。

朝鮮戦争の際には、李承晩の韓国軍は北朝鮮軍の前にもろくも崩れ去りました。今日の韓国軍は当時と比べ格段に増強されており、北朝鮮軍といえども容易に侵攻することはできないでしょう。しかし北朝鮮には核兵器という切り札があります。

親北の文在寅政権のときに一方的に日本に責任を擦り付けてきた徴用工問題も、判決で賠償を命じられた日本企業に代わって韓国政府の傘下にある財団が原告への支払いを行うことで幕引きを図りました。

財源は韓国企業などの寄付で賄う見通しですが、以来、２０２３年3月16日に尹錫

2023年5月21日、G7広島サミットでも日韓首脳会談が行われた。
写真：YONHAP NEWS/アフロ

悦大統領が訪日し、日韓首脳会談が行われるなど両国が急接近しています。10年以上途絶えていた首脳間の相互訪問、シャトル外交の再開を確認しました。

また、両国の外務・防衛当局による日韓安全保障対話をおよそ5年ぶりに再開させることや、半導体のサプライチェーンや量子技術を含めた先端技術の優位性の確保などで協力を強化するため、経済安全保障に関する対話の枠組みを新たに創設することも決めています。

読売新聞がこれを成果として大々的に報じる一方で、産経新聞は、また韓国がちゃぶ台返しをしてくるのではないかと懸念を示しているのが対照的でした。読売新聞は朴正煕政権時代には韓国批判の急先鋒といった趣のある紙面をつくっていたので、隔世の感があります。

それはともかく、北朝鮮の核攻撃を想定した場合、核兵器を保有していない韓国としては、結局アメリカに頼る以外にないのですが、韓国のアメリカに対する感情はそう単純ではありません。

保革いずれの政権であっても、韓国にとっての最重要国は中国なのです。

たとえば、2022年8月に台湾を訪問したナンシー・ペロシ下院議長が韓国に立ち寄ったとき、尹大統領は休暇中という名目で会いませんでした。

同盟国アメリカの要人に対する態度としては考えられないことですが、保守系であろうが何であろうが、時々の強いものにつく事大主義と小中華思想に凝り固まっていますから、韓国は中国をアメリカより上に見ています。

ましてや、日本などは中華思想を知らない野蛮国で、弟分の扱いです。

現在、表向きは〝安全保障はアメリカ、経済は中国〟というお題目が、韓国で唱えられているようです。

その一方で、韓国はDSにあまり重要視されていません。彼らにとっては韓国よりも北朝鮮の方が重要なのです。

なぜなら、北朝鮮をつくり、ならず者国家として育成してきたのは実はアメリカのDSだからです。DSの一角を占めるCIAにとって、北朝鮮は彼らが表立ってできない犯罪行為を代行してくれる下請けなのです。テロ、麻薬、マネーロンダリング、

ラーム・エマニュエル駐日アメリカ大使。
写真：ZUMA Press/ アフロ

殺人等々に北朝鮮を利用している。そうでなければ、ならず者国家をアメリカがのさばらせるはずがありません。

だからこそ北朝鮮はアメリカと対等にやりあうような〝演技〟をさせられていると見るべきなのです。

いまだ続く分割統治

ラーム・エマニュエル駐日アメリカ大使が、自身のツイッターに動画を投稿し、「北方四島に対する日本の主権を（アメリカは）１９５０年代から認めている」と述べ、北方領土問題の解決へ日本を支持する姿勢を強調しました。これは、日露関係を険悪なまま維持しようとするための言葉ということは、皆さんもご承知でしょう。

日本は北方領土、竹島、尖閣をめぐりロシア、韓国、中国との関係で苦労していますが、これは日本に〝隣国と不和な状態を保たせる〟という分割統治戦略がいまだに機能しているに他なりません。

ロシアにとってのウクライナも同様の意味合いがあります。

日本が占領下にあった1951年、日本にあるイギリス大使館が、「対日平和条約において、日本に千島列島を放棄させるが、この放棄させる千島列島の範囲を曖昧にしておけば、この範囲をめぐって日本とソ連は永遠に争うこととなり、これは西側連合国にとって利益となるであろう」（丹波實・『日露外交秘話』中央公論新社）と本国へ報告しています。

竹島問題を放置することが日韓分断の火種であることを理解していた韓国人もいました。『親日派のための弁明』（草思社）というベストセラーを生み出したキム・ワンソプ氏です。

〈アメリカは日本を再興させてはならないという意志を持って、韓国において強力な反日洗脳教育を行うと同時に、産業面においては韓国を、日本を牽制するための基地として育てました。その結果、韓国にＩＴ産業、造船、鉄鋼、半導体など日本をコピーした今日の産業構造がつくられたといえます。そしてこうしたことの背景には、有色人種を分割したのちに征服するという「ディバイド・アンド・コンカー（divide and conquer）」の戦略があったと思われます。私は戦後アメリカの東アジア政策は、さまざまな点で私たちに友好的とはいえなかったと考えています。反日感情を意図的につくりだすうえで基本となったのが、歪曲された、まちがった歴史認識です。……韓国にこうした反日教育をおこなわせたアメリカは、韓国と日本の関係をユダヤ人とドイツの関係とおなじものにしたかったのだと考えられます〉

漂流する日本

アメリカに追随し、何も考えないことをもって善しとする岸田流安全保障。

国民の多くは、そんな岸田首相の姿勢を否定していません。国民全体が何も考えずにただひたすらアメリカに捨てられないようにすがりつくという、いわば１億総無思考に陥ってしまっているとすら思えます。

国民の危機感の欠如は、統一地方選挙の結果にも見出すことができます。地方選挙なのでウクライナ戦争が直接争点になることはありませんでしたが、わが国を襲っている異常な物不足や物価高などの不都合な状況が、西側の対露経済制裁に起因していることへの言及は見られませんでした。

首相に倣って政治家や国民全体が能天気に陥り、その事実にすら気づいていないのかもしれません。しかし、能天気という居心地のよさに包まれ、漂流を続けていけば、日本の消滅に繋がることは必至です。

これまで私は日本の未来に関して楽観論を述べてきましたが、このように厳しい意見を言わざるを得ないほど、かつてない危機に日本は立たされているのです。

なぜいま改めて安倍元総理なのか、私たち一人一人に投げかけられた問いかけです。

第7章

日本人への提言

アメリカは再生するか

日本を取り戻すためには、アメリカの再生が不可欠です。２０１９年に国連演説でトランプ大統領（当時）はアメリカの政策の目的は世界の調和だと説きました。そのためには、アメリカのピープルが覚醒し、その再生を果たす必要があります。

２０２１年の就任以来バイデン大統領は『批判的人種論』教育の推進、ＬＧＢＴなどの少数者擁護、規制なき移民流入、ワクチン接種反対者の言論封鎖など、極端な全体主義的政策を強行してきました。

これらはアメリカの分断を悪化させ、国力を弱体化させる結果となりました。学校教育の現場では、民主党の支援組織であるアメリカ教職員組合と、全米教育協会による『批判的人種論』に基づく自虐史観教育が浸透しています。『批判的人種論』とは、アメリカは建国以来制度的に人種差別国家であるとする過激思想です。

これを公立の小・中学校教育に持ち込もうとして一部父兄との間で激しい論争になりましたが、司法省はこれらの父兄の抗議活動はテロに該当するとして取り締まりを指示したのです。

オバマ政権のLGBTの人権擁護政策を引き継いだバイデン大統領は、就任当日大統領令によってトランプ大統領が廃止したトランスジェンダーの連邦軍への採用を復活させました。LGBT支援策は彼らを少数者・被害者の地位に固定化しました。

また、黒人などの犯罪を見逃すなど治安の悪化をもたらしました。将来の民主党支持者の増大を狙った中南米からの移民の無制限な流入容認政策は、人身売買、麻薬取引、凶悪犯罪者の入国など深刻な社会不安の温床となっています。

とりわけコロナワクチン接種を連邦機関職員らに強制したほか、民主党知事の州でも州職員らに対する強制接種が強行されました。接種を拒否した職員は解雇。国民が疑問を持つのを回避するために、ワクチンの有効性などに疑義を呈する言論を卑劣な手段で封殺しました。

民主党寄りの主流メディアは言うに及ばず、SNSや動画チャンネルなどにおいても、いわゆるビッグテック（巨大IT企業）がこのような言論を検閲したのです。

しかし、「アメリカ憲法を遵守しよう」と、勇気ある声を上げる愛国者たちが2022年5月にミズーリ州とルイジアナ州の連名でバイデン政権を相手取りルイジアナ州連邦地裁に提訴したのです。

「自由な言論を保証する憲法修正第1条に反して、バイデン政権は大手ソーシャルメディアと共謀して、コロナワクチンの有効性への疑問や副作用問題などの議論を偽情報と決めつけすべて排除した」として、バイデン大統領、ジェン・サキ報道官、アンソニー・ファウチ国立アレルギー感染症研究所所長などを訴えました。

裁判は現在も続行中ですが、前述のようにバイデン降ろしが開始されたいま、この裁判の行方にも注目です。

２０２２年の中間選挙で、共和党が不正選挙の中でも下院で過半数を押さえたことは大きな政治的意義がありました。上院民主党内からの反バイデンの動き、そして下院共和党が今後どれだけバイデン政権を追い詰められるかにアメリ再生の鍵がありそうです。そして２０２４年の大統領選においては〝トランプの復権〟が欠かせません。

中間選挙以降、事実上トランプ氏は復権している、というのが私の見立てです。反トランプ陣営はトランプ氏の大統領選への再出馬を阻止しようと必死ですが、共和党の有力なライバル候補を立てても、不正に起訴をしてもその支持率を抑えることに失敗しています。しかしここにきて、トランプ復権への追い風となるような事実が明らかになってきました。２０１６年の米大統領選でトランプ陣営とロシアが共謀したとするＦＢＩの捜査について不当であったとの報告書をジョン・ダーラム特別検察官が２０２２年5月15日に公表したのです。

ダーラム特別検察官は「司法省とＦＢＩは本報告書の一定の事柄や活動に関連して、法への厳格な忠誠という重要な責務を維持できなかった」と指摘し、ＦＢＩのなかに不当にトランプ大統領を貶《おとし》めようとした勢力が存在したことを暴露しています。ＦＢＩの不正が暴かれたのは実に朗報で、今後もトランプ氏が着せられた濡れ衣を剝《は》がす事実が明らかにされることを期待したいものです。

また、同月10日にトランプ氏が米ＣＮＮへ7年ぶりに出演したことも話題になりました。ＣＮＮは、反トランプの急先鋒のメディア。ＣＮＮ主催のタウンホール・ミーティング（対話集会）に出演したトランプ氏は、２０２０年の選挙が不正であったことを改めて主張し、持論を展開しました。

ウクライナ戦争に関しても、自分が大統領になればゼレンスキー大統領とプーチン大統領と会談し、戦争を「1日、つまり24時間で解決する」と述べています。

ＣＮＮに出演したトランプ氏の見解に対し、共和党内からも批判が出ているようですが、視聴率も高く、圧倒的な人気が健在であることを示しています。

西側で進行中の左翼文化革命

アメリカの再生に加え、日本にとって必要なのはプーチン大統領がＤＳとの戦いに勝利してくれることです。

「ボルシェビキ革命は悪だ」ということを、プーチン大統領は一貫して訴えています。たとえば、２０２１年10月にロシアの保養地ソチで開催されたバルダイ会議（ロシア版ダボス会議）において、現在西側で進行中の左翼文化革命は１９１７年のロシア革命の再来であるとして、プーチン大統領は憂慮の念を表明しました。

「ロシアのボルシェビキ革命を指導したレーニンは、私有財産の国有化のみならず、革命の障害となる家族の絆を破壊するために、女性を国有化した」と、世界に発信したのです。

簡単に言ってしまえば、「西側で起こっている伝統的価値の破壊や家族の破壊は、ロシア革命でレーニンがやろうとしたことと同じだぞ」と警告したのです。

ここでいう女性の国有化とは、レーニンが発出したフリーセックス宣言に表れています。レーニンは以下のことを決めました。

18歳以上の女性は国家の所有物であり、未婚女性は当局に登録しなければならず、怠った場合は罪に問われる。19歳から50歳のプロレタリアートの男性のみがこれら登録女性を結婚相手に選ぶことができ、選ばれた女性は相手を拒否することができない。そして、生まれた子供は国家の所有となる――。

レーニンのロシア革命が持つ非人道的性格を、これほど明確に表した談話はないでしょう。私たちは正統派歴史学者やメディアによるロシア革命礼賛の洗脳からまだ解放されていませんが、女性国有化の一点だけでも共産主義の異常性に気づくことができるはずです。

伝統的な価値を破壊してロシア革命を再来させ、世界統一を実現しようとしているグローバリスト、つまりDSにとって、伝統的価値を重視し、ロシア革命を否定するプーチン大統領は抹殺すべき相手なのです。

プーチン大統領とトランプ前大統領はDSに真正面から対峙して抗っている。とはいえ、DSを滅することは事実上不可能でしょう。ただ彼らがもくろむ世界統一の方針をくい止めることは可能です。そのためには私たち日本人も力を注がねばなりません。私は2023年の冒頭より、〝プーチンの聖戦、トランプの復権、日本人の覚醒〟これらこそが世界を破滅から救う最後の希望ということを発信してきました。私たちに残された時間的猶予はあまりありません。

戦後レジームからの脱却とは国家観と栄光を取り戻すこと

２０２３年年頭に、文芸批評家の新保祐司氏が産経新聞のコラム『正論』に『日本の覚醒と令和の栄光の実現』という一文を寄せておられます。

日本は〝戦後的なるもの〟から覚醒し、明治に栄光があったように令和でも栄光を取り戻さなければならない、という趣旨の文章ですが、文中で政治学者の橋川文三を取り上げています。

戦後的なるものの終焉が近づいていることにより、再評価される戦後の知識人のひとりが、２０２３年に没後40年を迎えた橋川文三だと新保氏は言います。

戦後の時代思潮の展開に主導的役割を果たした丸山眞男が、戦前の〝超国家主義〟を軍国主義的ナショナリズムとして批判したのに対して、８歳年下の橋川は、それを「生の拠り所である精神の故郷を失った当時の青年たちの自我の問題に起因するもの」

として、丸山の見方を根底的に覆しました。

橋川は『明治の栄光』という著作により、明治という時代がひとつの叙事詩であったことを示し、最大の国民的事件は日露戦争であり明治大帝の死、明治の終焉であることを説きます。

明治という時代は〝体制への満足と未来への楽観が支配していた時代〟であり、その国民心理のシンボルが明治大帝であったとし、新保氏は次のように述べています。

〈戦後の日本には、繁栄はあったが、栄光はなかった。もし、日本の未来への悲観が、戦後の経済的な繁栄が失われていくことに由来するとするならば、そのような悲観はノスタルジーに過ぎない。「明治の栄光」は、物質的な面ではなく「明治の精神」の偉大さにあり、それは、日露戦争において発揮され、「明治大帝」の死に際して乃木大将の悲劇を生んだ。そして、次代以降の日本人に栄光の時代として記憶されたのである〉

つまり、戦後の繁栄は物質的な繁栄に過ぎないのに比して、明治には精神的な栄光があったということです。昭和は明治とは比較にならないほど経済的に繁栄しましたが、明治にはあった栄光は喪失した――では、どちらが国民にとって幸せなのか、と問うているのです。

令和に栄光を取り戻すためには何が必要でしょうか。

それは〝国家観〟です。

常々記してきたことですが、ズビグニュー・ブレジンスキーは戦後日本をリージョナル・パワー（地域大国）として認めない、すなわち独立国家として行動させない、アメリカの保護国であれと言っている。

現在の日本はどうでしょうか。必要なときにカネを引き出すことができるアメリカのＡＴＭに成り下がっている。ウクライナ戦争後に呑まされた巨額の経済支援がまさにその典型で、岸田政権は言われるままにお金を工面するのでしょう。

国家としての栄光はなくとも、戦後日本は繁栄を享受してきました。〝戦後レジーム〟とはまさにこのことです。安倍元総理が「戦後レジームを脱却して日本を取り戻す」とおっしゃったその意味の深さがそこにある。それは極右でもなければ、否定的な意味でのリビジョニストでもない。〝日本人が日本人であるためには、日本という国家がなければならない〟という当然のことを、言っていたにすぎないのです。

しかし、その当たり前のことを考えてはいけないし、考えないようにさせてきたのが戦後レジームだったのです。戦後レジームからの脱却とは、国家観と栄光を取り戻すことでもあるのです。

日常そのものが修行ということ

では日本を取り戻すためには具体的にどうすればいいのでしょうか。

もちろん、ひとりひとりが違った役割を担い、各々ができることをする。自分らしく日本人らしく生きればいいのですが、ヒントになるのは〝修行〟です。

修行というのは、己の人格を磨くこと。すなわち日々の生活に打ち込むことが修行となるのです。簡単そうですが、なかなか打ち込めないものです。

様々な雑念が入ってきますし、多くの噂話を聞くこともある。そして、物欲も捨て去れない。私たちは仏教でいう〝煩悩《ぼんのう》〟に縛られているのです。そんな俗世で覚醒していくことが修行ではないかと思っています。

私の家は曹洞宗《そうとうしゅう》です。開祖は道元禅師。道元はひたすら座禅する只管打坐《しかんたざ》を唱えておりますが、その神髄は『正法眼蔵《しょうぼうげんぞう》』に書かれているとおり、日々の生活すべてがこれ座禅であるということです。掃除することも料理することも修行であり、禅なのです。つまり〝所作〟ということです。

曹洞宗において、所作とは、身体と心がひとつであるという考え方に基づき、日々丁寧な立ち振る舞いを心掛けることです。禅の修行道場では、古くは唐代から、清規《しんぎ》と呼ばれる生活の軌範が詳細に規定されてきました。

道元禅師は宋で修行を積まれた方ですが、若き道元禅師が宋での修行時代に心打たれたことのひとつが清規の素晴らしさだったそうです。以来、曹洞宗の修行道場では、現在でも清規に基づき規則正しい生活を送っているのです。

曹洞宗には、〝威儀即仏法《いいぎそくぶっぽう》、作法是宗旨《さほうこれしゅうし》〟という言葉があります。これは、私たちの身なりや所作がそのまま仏の教え（仏法）だということです。それゆえに僧侶は日常生活のひとつひとつを仏行としているのです。

私自身は曹洞宗の僧侶ではなく、あくまで在家の人間としての感じ方ではありますが、日常そのものが修行であり、所作が大切なことは実体験として理解できます。そもそも私たち日本人の生き方がそういうものだと思うのです。

心はウソをつくことができます。

私も含めて人は日々小さなウソを重ねて生きている。心はウソをつけるから、相手に「信仰心がない」と異端審問ができるのです。キリスト教でも「人は信仰によって義とせられる」と言ったのはパウロですが、ヤコブは「人は行いによって義とせられる」ことを強調しました。私にはヤコブの言うことのほうがしっくりきます。信仰よりも行いです。信仰は行いによって明らかになるのではないでしょうか。

所作はウソをつきません。したがって、所作を見れば、おのずとその人の本質が見えてきます。第5章では安倍元総理の笑顔について述べました。笑みという所作にも人の本質が表れるものです。そしてひとりひとりの所作が違うように、ひとりひとりが自分の生き方を持っている。そういうことなのだと腑に落ちました。

禅宗に〝不立文字《ふりゅうもんじ》〟という言葉があります。悟りの道は、文字・言語によっては伝えられるものではないという意味で、修行を積んで、心から心へ伝えるものだという教えです。そこには、真理は概念で規定し得るものではないという意味も含まれます。

つまり、感性です。

信仰というのは本来、感性であるべきだと思いますが、そこに理屈とか理性が入りすぎると本質から乖離していくように思えます。こういっては不遜ですが、難関な仏教書を読み込む勉強家よりも、お寺の掃除を毎日丁寧にしている人のほうが案外悟っているかもしれません。実際、そのような説話はいくつもあります。

このことは私なりに家の掃除をし、トイレを磨いて体得した結論でもあります。何かを無心にしていたら、何か気づきを得たという経験、皆さんにもあるのではないでしょうか。ある宗教家の方は、その何かが〝悟り〟だとおっしゃっていました。

悟りというのは決して難しいものではなく身近にあるということです。無心に掃除をしている——その姿が仏の姿だと言われると、仏教との間が縮まるわけです。

神様が仏様を守り、仏様が神様を守っている国柄

あるお寺の和尚さんから「神道にも関心を持つようになった」と伺ったことがあります。神道も仏教も根はひとつであると私は思っています。宗教家ではない私がそのように解釈するのは僭越《せんえつ》ですが。

田中英道先生が神道と仏教も含むその他の宗教との関係をわかりやすく解説してく

だとっています。

それによると、神道というのは日本人にとっての〝共同宗教〟であるということです。対して他の宗教は仏教も含めて〝個人宗教〟。つまり個々の修行ということです。そう捉えると、仏教がなぜ日本人の間に広まり根づいたのか、腑に落ちます。ようするに、共同宗教である神道と共存できたということ。これを学問用語で言えば神仏《しんぶつ》習合《しゅうごう》ということです。

2017年にお亡くなりになった渡部昇一先生が著書『日本史から見た日本人』のなかでこの神仏習合の概念に触れておられます。

専門家や研究者の語彙《ごい》やアプローチではなく、「日本ではお寺を守っている神社がある。神社を守っているお寺がある。これはどういうことか」という問題提起に目から鱗が落ちる思いでした。

つまり、日本では神様が仏様を守り、仏様が神様を守っているのです。あるいは神仏一体と言ってもいいでしょう。そう言われると腑に落ちるわけです。「ああ、東京の浅草でも浅草寺の隣には浅草神社があった」と。そのように神社仏閣が支え合っている様子は全国いたるところで目にすることができます。

君民一体と君民共治

第2章で田中英道先生が、「堕落した民主主義に代わる日本の君民共治を」とおっしゃっていたことを取り上げ、日本独自の君民共治ならば、民主主義では矛盾する〝自由〟と〝平等〟が両立すると章末で述べました。

そもそもなぜ、民主主義では〝自由〟と〝平等〟が両立しないのでしょうか。それは〝唯物論〟に立脚しているからに他なりません。

逆説的に言えば、〝自由〟と〝平等〟が両立するように見せかけるための言葉が〝民主主義〟ということです。

しかし、わが国においては神代以来、私たちは自分たちの個性に基づいて各々の役割を果たす〝自由〟を持っている。そして、その役割の価値は〝平等〟なのです。

現代の私たちを見ても、ひとりひとりが違った役割を果たしています。それぞれ違った個性ですが、個性の価値はみな平等です。

これを理解できれば、自由と平等の間は架橋できるのです。民主主義というまやかしの言葉は必要なくなるのです。

では、君民共治とはなんでしょうか。

君民共治の原点は〝天孫降臨《てんそんこうりん》〟にあります。

ならば天孫降臨とは何か。

天照大神の孫である瓊瓊杵尊（ニニギノミコト）とともに神々が高天原から地上に天下りしたことをいいますが、その意味は〝天〟と〝地〟をつなぐ、ということ。天とは霊性（精神性と言い換えてもいいでしょう）であり、地とは肉体も含む物質界のことです。すなわち、精神と肉体をつなぐことが天孫降臨の意味なのです。

このことは、日本人でなくても理解できる普遍性があります。私がウクライナ大使を務めていたときに、ウクライナの学校の授業を見学したことがありました。

伝統を重んじるウクライナ国民は教育を重視しています。当時ウクライナ語教育のなかで、小学校5年生で松尾芭蕉、高校2年生で川端康成の『千羽鶴』が必須科目として教えられていたのです。

ウクライナの学習指導要領には「これらの日本文学の学習を通じて日本人の国民性を学ぶことにより、ウクライナとは違った文化を持つ日本及び日本人に対する尊敬の念を養う」とありました。

ウクライナでは先ず学校教育においてウクライナ語、ウクライナ文学、そして世界文学を徹底して学ぶことによって、ウクライナ人としての国民意識を育てるとともに、文学を通じて文化への関心を深め、人間性の成長をはかり、ウクライナの国民的価値観と同時に普遍的価値観を身につけさせているのです。

授業を参観した後、生徒たちの『千羽鶴』の感想文が送られてきました。ある女生徒の感想文は熱い思いにあふれていました。

〈私は『千羽鶴』に感激しました。日本という国に秘められている神秘の力が、私の目の前に現れたのです。それは人類の未踏の部分でもあります。この授業で日本の美しさに触れ、私たちヨーロッパ人が何を見習うべきかが、理解できました。私は夢の国日本が、全世界を幸福と平和に導く階段をどのように昇るかを教えてくれることを期待しています。たとえゆっくりとした足取りでも、それを昇ることによって、人間がもっと人間的になれる、天と地をつなぐ階段へと導くような昔からの習慣と伝統を、日本が依然として守っていることを願っています〉

天と地をつなぐ階段へと導く昔からの習慣――ウクライナの少女は、天孫降臨のことを直感的に理解していたのです。

天孫降臨の意味

天孫降臨のときに瓊瓊杵尊とともにその先兵として同行して来たのが天忍日命（アメノオシヒノミコト）。その天忍日命が天孫に対して忠誠の心を詠った歌があります。その歌は天忍日命の子孫である大伴氏に伝えられ、大伴家持にいたって万葉集に載せられ、永く日本の精神として伝えられてきました。その歌が『海行かば』です。

海行かば水漬《みづ》く屍《かばね》
山行かば草生《む》す屍
大君の辺にこそ死なめ
顧みはせじ

左翼リベラルの解釈からすれば〝大君の辺にこそ死なめ　顧みはせじ〟は「なぜ天皇のために死ななければならないのか」となるでしょう。

でもそれは違う。〝大君の辺にこそ死なめ　顧みはせじ〟というのは天皇陛下のために自らの命を捧げることではなく、日本のために生き切るということです。生き切って初めて、死ぬことができるというわけです。

「天孫降臨が武士道の原点」と述べておられるのは、執行草舟氏です（『超葉隠論』実業之日本社）。

では武士道とは何か。〝死ぬことと見つけたり〟という言葉が独り歩きしていますが、武士道は死ぬことではありません。

断じてかっこよく死ぬことではない。生き切った証が武士道なのです。宇宙の命を生きることです。それを武士道と言うか、それとも惟神の道と言うか。どちらも本質は同じことなのです。

このことが腑に落ちれば「天孫降臨の原点が武士道である」ということも腑に落ちるはずです。同時に〝君民共治〟がどういうことかも見えてきます。

日本人が日本人らしく生き切るための政体が、君民共治なのです。君は天皇陛下であり、皇室です。民はわれわれ国民です。つまり、地上世界で生活していた者の子孫にあたります。このふたつが日本という国を支えているのです。

マクロ的に見れば、君と民が支え合っている国柄と言えますが、ミクロ的な視点も重要です。ミクロ的に見れば私たちひとりひとりのなかにこのふたつが宿っています。なぜなら君民共治とはわれわれひとりひとりの生き方でもあり、同時に日本という国家の生き方そのものでもあるからです。つまり、日本は個と全体が調和して成り立っているということです。

「君民共治を理論化する」と言うと、いろいろ誤解を招きかねないのですが、それをわかりやすい形で、日本の政体がどうあるべきかを具体的に考えなければならない時期にきています。

「あなたはこれから地上世界に降りるけれどもこの高天原の霊性を忘れずに生きてください。それによって豊蘆原《とよあしはら》の瑞穂の国をまとめてください、栄えさせてください」

瓊瓊杵尊が天下りするときに、天照大神からこんなことを言われたのではないかと思い浮かび、書き上げたのが『新国体論』（ビジネス社）です。すなわち、「天壌無窮《てんじょうむきゅう》の神勅」です。この神勅は、私たちが地上世界で〝精神性〟と〝物質性〟のバランスを取りながら生きることを示唆しています。

天照大神は「天壌無窮の神勅」、「宝鏡奉斎《ほうきょうほうさい》の神勅」、「斎庭稲穂《ゆにはのいなほ》の神勅」を与えてくださいましたが、瓊瓊杵尊に「斎庭稲穂の神勅」で「高天原同様に地上も稲作によって栄える」と教えてくれているのです。高天原でやっていないことは、当然、瑞穂の国には合いません。

コオロギ食を奨めるような人間の真意は、神道流に言えば〝異心（ことごころ）〟であり、本居宣長流に言えば〝漢意（からごころ）〟にすぎず、大和心で見つめれば、その目的が透けて見えるのです。コオロギ食など、人口削減を目論む勢力が考えたこと。食料が足りないと危機を煽るのであれば、私たちはお米を増産して食べると答えればいいのです。

コオロギ食には、甲殻類アレルギーを引き起こすアレルゲンと同じタンパク質やよく似たタンパク質を持っていることが多いため、甲殻類アレルギーのある人は注意が必要だと専門家が指摘していますし、漢方医学大辞典によればコオロギには微毒があり、とくに妊婦には禁忌だとされています。コオロギ食を奨める人は自分たちだけで食べたらいい、病気になっても自己責任です。それが嫌なら宣伝などしないことです。

さて、「宝鏡奉斎の神勅」ですが、宝鏡、すなわち八咫鏡《やたのかがみ》は天照大神様そのものであるということです。天皇陛下はこの鏡を拝することによって天照大神様と一体になられ、私たちも神社で鏡を拝することによって、同じく天照大神様との一体感を味わうことができるわけです。日本のどこにでも、天照大神様がいてくださるのです。

執行草舟氏の著書『超葉隠論』のカバーには〝人間として生きるか、現生の家畜となるのか〟という強烈なメッセージが記されています。私たちはこの選択をいますぐ行動に移さなければならないのです。八咫鏡を拝する私たちは、家畜であってよいはずがありません。

ところが、残念ながら、家畜となる生き方を岸田総理以下が選んでいると言わざるを得ません。

「自分の頭で考えてはいけない、ただただアメリカにすがれ」

自分自身については「家畜の生き方は選ばない」と決断できても、人生は各々のものなので、それを他人に強要することはできません。パンデミックにおいて、私たちはこれと同じような選択を迫られました。そして、家族や同僚、親しい友人に対して、言葉で説得できない無力感も味わいました。

岸田総理も考えたのでしょう。そのうえで、従属することを選んだのであれば、国益を放棄した、大和心を売り渡した、天照大神様を見捨てた、と断じざるを得ません。

かくして宇宙と共に生きなければ家畜になるということです。

多くの日本人が無自覚に家畜化しています。ご飯を食べられればいい、おカネがほどほどに儲かればいい、スマホで楽しく過ごせればいい。それで何が残るのかと、立ち止まって考えてみることです。

人間は生物的には死ぬときは必ず独り。しかし、霊としては宇宙の一部であることを知れば人間は〝死なない〟ということがわかります。そうすれば地上世界で生きている間に〝何をすべきか〟という答えが出てくるのです。

私たちが宇宙の一部でなければ、唯物論に基づき万人による万人の闘争をし続けなければなりません。私たち日本人は宇宙の一部であることを意識しなくても知っている。だから、日本は無秩序の世界にはなっていないのです。

自分の意のままに人間を動かそうとしている人たちはそのことがわかっていないよ

うです。いまや専制主義と化した民主主義ではなく、君民共治の政体に日本が復古することで、それを手本に世界各国もそれぞれの伝統文化に基づく君民共治の政体を打ち立てることができるのだと思います。

皆さんは、これを荒唐《こうとう》無稽《むけい》な話だと思いますか？

それが実現可能であるということは、すでにウクライナの少女が教えてくれたではありませんか。

馬渕睦夫　（まぶち・むつお）

元駐ウクライナ兼モルドバ大使、元防衛大学校教授、前吉備国際大学客員教授。1946年京都府出身。京都大学法学部3年在学中に外務公務員採用上級試験に合格し、1968年外務省入省。1971年研修先のイギリス・ケンブリッジ大学経済学部卒業。著書に『国難の正体』（総和社／新装版：ビジネス社）、『世界を破壊するものたちの正体（高山正之氏との共著）』（徳間書店）、『ディープステート 世界を操るのは誰か』（ワック）、『日本を蝕む 新・共産主義』（徳間書店）、『道標 日本人として生きる』（ワニブックス）、『ウクライナ紛争 歴史は繰り返す 戦争と革命を仕組んだのは誰だ』（ワック）、『謀略と捏造の二〇〇年戦争（渡辺惣樹氏との共著）』（徳間書店）、『馬渕睦夫が読み解く2023年世界の真実』（ワック）など多数。

2023年1月より YouTube 番組『馬渕睦夫チャネル～日本の道標～』を開設し、「大和心ひとりがたり」を配信中。
YouTube：https://www.youtube.com/@user-cw7ii3th8k

馬渕睦夫が語りかける腑に落ちる話
ウクライナ戦争の欺瞞　戦後民主主義の正体

第1刷　2023年6月30日

著　者　馬渕睦夫

発行者　小宮英行
発行所　株式会社徳間書店
〒141-8202　東京都品川区上大崎3-1-1 目黒セントラルスクエア
電話　編集 03-5403-4344／販売 049-293-5521
振替　00140-0-44392

印刷・製本　大日本印刷株式会社

ISBN978-4-19-865628-7